LA VENGEANCE DU PARDON

ERIC-EMMANUEL SCHMITT
de l'académie Goncourt

LA VENGEANCE DU PARDON

ALBIN MICHEL

IL A ÉTÉ TIRÉ DE CET OUVRAGE

Vingt-cinq exemplaires
sur vélin bouffant des papeteries Salzer
dont quinze exemplaires numérotés de 1 *à* 15
et dix exemplaires, hors commerce, numérotés de I *à* X

LES SŒURS BARBARIN

Si l'on imaginait le paradis terrestre sous la forme d'un village, ce serait Saint-Sorlin.

Le long des rues pavées qui dévalaient la pente douce jusqu'au fleuve, chaque façade constituait un jardin. Pendant que les glycines suspendaient leurs lampions mauves aux étages, les géraniums flambaient aux fenêtres, la vigne illuminait les rez-de-chaussée, les digitales fusaient derrière les bancs, tandis que des brins de muguet pointaient entre les pierres, compensant leur taille menue par un puissant parfum.

À qui le traversait, Saint-Sorlin-en-Bugey donnait le souvenir de n'avoir qu'une saison : le mois de mai. La fleur y abondait, vive, drue, insolente, réduisant les maisons à des supports. Sous un ciel bleu et naïf, une conspiration de roses envahissait les murs, des roses roses, dodues, épanouies, plus mûres que des fruits mûrs, vibrantes, prospères, exhibant une chair de pétales qui appelait les caresses ou les baisers, des roses noires, pudiques et empourprées, des roses rouges, sèches et sveltes, des roses jaunes aux fragrances de poivre fin, des roses orange, muettes sans odeur, des roses blanches, effarouchées, éphémères, trop vite déçues, déjà oxydées. Ici ou là, tels des sauvages venus camper en ville, de minces églantiers au feuillage grenu présentaient des boutons rubescents dont les habitants tiraient de la confiture. Bordant la margelle du lavoir, d'épais hortensias parme gratifiaient les lieux d'une respectabilité bourgeoise. De l'église Sainte-Marie-Madeleine aux rives du Rhône, la végétation extravaguait à Saint-Sorlin.

Place de la Halle, cheminait Lily Barbarin, une dame âgée dont le charme s'accordait aux coquettes ruelles. Souriante, fluette, le teint délicat, le nez précis, les yeux clairs, elle offrait l'effigie de la bonté. Si Saint-Sorlin figurait le paradis, à coup sûr Lily incarnait la grand-mère idéale ! Bienveillante, soucieuse d'aider ses concitoyens, elle paraissait faire de la vieillesse un effacement poli mêlé d'altruisme. Pourtant, la vie aurait dû la mener à la haine, la cantonner au ressentiment. N'avait-elle pas été harcelée durant des décennies ? N'avait-elle pas été dédaignée, malmenée, trahie, détestée ? Et surtout, n'allait-elle pas, le lendemain, comparaître en justice pour meurtre ?

De même que le bourg à l'aspect idyllique avait abrité son lot de rancœurs, de jalousies, de crimes, de même sous son masque lisse et frais, la vieille dame avait côtoyé l'enfer. En avait-elle franchi les portes ? Avait-elle commis l'impardonnable ?

Son accusateur, Fabien Gerbier, l'observait depuis son atelier de cordonnerie. Massif, haut, le sourcil contracté, l'œil noir, il abattait son marteau sur les semelles avec une violence qui visait Lily Barbarin. Malgré l'âge de la dame, sa fragilité et la présomption d'innocence, il estimait intolérable qu'elle vaquât en liberté et attirât l'indulgence de ses contemporains. C'était lui qui avait émis des soupçons, lui qui avait motivé les gendarmes, remué les policiers, enclenché une procédure judiciaire, lui le responsable du bracelet électronique qui enserrait sa cheville, les autorités laxistes n'ayant pas voulu l'incarcérer avant l'audience.

Demain, Fabien Gerbier se rendrait au procès à Bourg-en-Bresse. Demain, il assisterait au spectacle de la justice en action. Demain, on saurait enfin.

Depuis des semaines, à table, les Saint-Sorlinois se plaisaient à conter aux étrangers ou aux amis de passage l'histoire de Lily Barbarin. Ou plutôt l'histoire des sœurs Barbarin, car, quoiqu'une seule survécût, on ne pouvait parler de l'une sans évoquer l'autre.

*

– Incroyable !

Les sœurs Barbarin virent la lumière le même jour. Si la première provoqua l'admiration, la seconde suscita l'ahurissement en surgissant entre les cuisses épuisées de sa mère une demi-heure plus tard. Personne ne l'avait prévue. À une époque où les médecins sondaient peu les flancs de leurs patientes, la naissance révélait le sexe et le nombre des enfants.

– Deux, madame Barbarin ! Voilà ce que vous nous prépariez en secret : deux filles magnifiques !

La sage-femme exultait.

Souverainement semblables, analogues depuis leurs yeux azur jusqu'aux plis de leurs orteils, les sœurs Barbarin comblaient leurs parents d'orgueil. C'était déjà extraordinaire de fabriquer un bébé, mais deux, deux parfaitement identiques, cela tenait du prodige !

– Quelles merveilles !

Éblouis, les adultes présents ne s'attardèrent guère sur l'impétuosité avec laquelle la seconde avait fait irruption, ni sur le vagissement d'indignation qu'elle avait poussé, comme si elle en avait voulu aux humains de ne l'avoir ni guettée ni attendue.

– Comment les appellerez-vous ?

Sans hésitation, les Barbarin baptisèrent « Lily » l'aînée de trente minutes, ainsi qu'ils l'avaient planifié. Pour la cadette inopinée, ils restèrent pris de court un moment. En fin de compte, ils proposèrent « Moïsette » puisque, s'ils avaient reçu un garçon, ils l'auraient nommé Moïse.

Lily et Moïsette… Ceux qui s'étonnèrent de la disparité des vocables, le premier sonnant délicieusement, le second étrangement, n'avaient pas tort de s'inquiéter. Un prénom par défaut, voilà qui augurait mal d'un destin…

Lily et Moïsette vécurent quatre ans dans le bonheur. La famille Barbarin jouissait de leur gémellité spectaculaire et, par amusement, l'accentuait : on ne séparait jamais les fillettes, on les habillait pareillement, on les désignait comme « les jumelles ».

Avant de pratiquer la langue de la société, Lily et Moïsette parlèrent leur propre idiome, un babil liquide, articulé, qui passait de l'une à l'autre sans interruption, mélange de bourdonnements et de gazouillis, aussi clair pour elles qu'il demeurait obscur à l'entourage.

– Qu'elles s'entendent bien ! s'exclamaient souvent les voisins, qui constataient qu'elles rampaient, jouaient, mangeaient, dormaient, couraient, soliloquaient de concert.

En réalité, si on les observait mieux, elles ne « s'entendaient » pas au sens habituel du terme, car, pour s'entendre – s'exprimer, écouter, répondre –, il faut être deux. Lily et Moïsette croissaient côte à côte sans avoir le sentiment de différer. De toute évidence, à l'aube de leur vie, les sœurs ignoraient leur dualité, elles formaient une seule et même personne, une entité avec deux corps, un organisme de quatre bras, quatre jambes, quatre lèvres et deux bouches. Quand l'une commençait un geste, l'autre le finissait. Comme si un placenta invisible les unissait toujours, elles baignaient dans l'harmonie, gardées par une poche protectrice, une bulle saturée de liquide amniotique où elles évoluaient, paisibles, à température constante, toutes deux vibrant en résonance sympathique.

Quel événement creva cette poche ? Quel couteau détacha les deux sœurs ?

Ce matin-là, pour l'anniversaire de leurs quatre ans, les Barbarin déposèrent un paquet bleu dans les mains de Lily, un paquet rouge dans celles de Moïsette. Enchantée, chaque fillette contempla son présent avec appétit, puis se pencha pour examiner en souriant celui de sa sœur. Moïsette se délesta du rouge et saisit le bleu qui la tentait davantage, ce que Lily accepta. Les parents intervinrent :

– Non ! Le bleu appartient à Lily, le rouge à Moïsette.

Ils redistribuèrent les cadeaux. Quatre secondes plus tard, Moïsette, têtue, recommençait.

– Moïsette, tu ne comprends pas : le tien, c'est le rouge, pas le bleu.

Moïsette fronça les sourcils. Elle préférait la couleur bleue à la couleur rouge et ne voyait pas pourquoi on éloignait ce paquet. Elle le tira.

Une légère tape sur le poignet l'arrêta. Contrariée, elle resta bouche bée.

– Allez, ouvrez vos cadeaux, les filles !

Pendant que Moïsette l'observait, Lily défit l'emballage azur et dévoila un carton contenant une poupée.

– Oh ! firent les petites en chœur.

À l'instar de son aînée, Moïsette s'extasiait devant la

somptueuse créature blonde, vêtue de satin blanc, qui se tenait assise dans la boîte.

– Elle est belle ! chuchota Lily.

– Oh oui ! approuva Moïsette.

Lily souleva délicatement le plastique, sortit la poupée et la plaça debout. Moïsette scrutait la scène en donnant l'impression d'en faire partie.

Puis Lily caressa les cheveux dorés de la poupée, geste que Moïsette encouragea. Enfin, Lily embrassa ses joues roses, ce qui empourpra Moïsette comme si elle avait reçu le baiser.

– Moïsette, ton cadeau ?

Moïsette mit dix secondes à percevoir que ses parents s'adressaient à elle. Ils s'opiniâtrèrent :

– Tu n'es pas curieuse ?

– J'aime la poupée.

– Tu as raison : elle est très belle.

– Je l'aime.

– Oui, mais c'est celle de Lily.

Négligeant la remarque, Moïsette tendit le bras pour que Lily lui restituât la poupée.

Les parents décidèrent de sévir.

– Non, Moïsette, c'est la poupée de Lily !

Ils arrachèrent à Moïsette le jouet qu'elle avait appuyé contre sa poitrine et le refourguèrent de force à Lily.

– C'est la tienne : tu la gardes.

Moïsette réfléchit et, quelques secondes après, ouvrit

la main vers Lily qui lui rendit la poupée. Les parents s'interposèrent. La violence sourdait.

– Non, ça suffit ! On ne confond plus. Lâche le cadeau de Lily. Déballe le tien.

Par réflexe devant ce ton comminatoire, Moïsette se mit à pleurer.

– Quelle tourte ! Tu reçois un cadeau et tu ne le regardes même pas. On se demande pourquoi on se fatigue autant...

Moïsette ne comprenait rien, sinon qu'elle n'avait plus le droit d'agir à sa guise. Lily se précipita pour l'étreindre et sanglota par contagion. Rassurée, Moïsette versa encore quelques larmes, puis envisagea la situation : sa mère lui présentait obstinément le paquet rouge.

Contrainte, le visage fermé, Moïsette déchira le papier et fit apparaître un ours superbe.

– Oh qu'il est beau, cet ours ! s'écrièrent les parents pour la stimuler.

Moïsette y prêta une attention renfrognée.

– Il te plaît ?

En se retournant vers sa sœur qui considérait la peluche avec gourmandise, elle souffla :

– Oui.

S'estimant quitte, elle s'empara de la poupée.

L'algarade dégénéra. Excédés, les parents haussèrent la voix, Moïsette se remit à pleurer et, solidaire, Lily hurla.

– Ah non, pas toi, Lily ! Tu ne vas pas l'encourager, en plus ! Ni te montrer aussi bécasse que Moïsette !

Les insultes fusèrent, la porte claqua, les parents disparurent, laissant les fillettes hoquetantes sur le plancher, au milieu des cadavres d'emballages.

Cet anniversaire avait entaillé l'unicité des jumelles : chacune avait nébuleusement saisi qu'elle ne se confondait pas avec l'autre. À quatre ans, elles étaient nées de nouveau, mais deux, cette fois-ci. Distinctes. Lily et Moïsette.

Pour Lily, cela constitua une information ; pour Moïsette, un deuil. Non seulement elle n'était pas sa sœur, mais elle était seule. De plus, on la traitait moins bien. Chacun de nous fut foudroyé pendant l'enfance : percevant soudain l'espace entre lui et le reste du monde, il s'est rendu compte qu'il existait à l'écart, différent, corps singulier au milieu de corps étrangers, enceinte mentale unique. Injustice de la conscience… Pour les uns, elle signifie un éblouissement, pour d'autres une déchéance. Si un rideau se lève sur le monde des premiers, une cloison mure les deuxièmes dans une prison. La solitude est un royaume dont certains voient le trône, d'autres les frontières.

Lily éprouva de la joie à explorer la nature autour d'elle ; de plus, elle y circulait dotée d'une jumelle ! Froissée, méfiante, Moïsette jugea l'univers inhospitalier et nota que la présence de sa sœur lui ôtait son influence, sa dimension, sa prééminence… Lors de ce quatrième anniversaire, Lily avait gagné une sœur, Moïsette s'était découvert une rivale.

À partir de ce jour, aux yeux du village les jumelles demeurèrent une, mais plus aux leurs.

Par réflexe, en toute circonstance, face aux parents, aux enseignants, aux camarades, elles fusionnaient. Si leur mère butait sur une lampe cassée à son retour à la maison, les deux fillettes se repliaient. « Pas moi ! » tonitruait Lily. « Pas moi ! » ajoutait Moïsette. Inutile d'attendre, aucune n'indiquerait la coupable. Toute effraction d'une autorité dans leur espace resserrait leur complicité. Par conséquent, soit les punitions disparaissaient, soit elles s'appliquaient aux deux. Peu leur importait d'être privées de desserts, de passer plusieurs heures consignées à l'étude par la maîtresse, de ne pas être invitées chez le copain qui avait perdu ses billes après leur visite, leur couple comptait davantage que la colère ou la vindicte des étrangers. Elles faisaient bloc.

En revanche, à l'abri des regards, le bloc se craquelait. Si physiquement seul un kilo marquait une différence – rondeur qui affectait Lily –, psychologiquement les fissures se creusaient.

Lily prenait les devants. Ambassadrice des jumelles, audacieuse, à l'aise au poste d'éclaireur, elle amorçait les rencontres, les jeux, les déplacements. Puisqu'elle accostait les gens, ils s'attachaient d'abord à elle. Sa position spontanée de chef scellant des habitudes, on entendait plus souvent parler de « Lily » ou des « jumelles » que de « Moïsette », certains se contentant de dire « l'autre », beaucoup oubliant son prénom.

Sans l'idée de remettre en question cet ordre quasi naturel, Moïsette suivait son aînée mais percevait l'ombre qu'elle lui faisait. Deux ans durant, elle n'en tint jamais rigueur à sa sœur, sa sœur nécessaire, sa sœur éternelle, sa sœur loin de laquelle elle se sentait incomplète ; elle accablait plutôt les adultes insoucieux, indifférents, dépourvus de mémoire. D'ailleurs, Lily abondait dans le sens de Moïsette quand cette dernière dénonçait le manque d'égards de tel ou tel, et la défendait toujours.

Comme, aux fêtes de Noël ou d'anniversaire, elles recevaient désormais des présents différents, elles avaient adopté une stratégie : elles simulaient la liesse en public puis, sitôt tranquilles, procédaient à une redistribution. Moïsette, systématiquement déçue par ses cadeaux, exigeait de s'approprier ceux de Lily, laquelle les lui offrait sans hésiter, ne s'offusquant même pas quand Moïsette refusait ensuite de les lui prêter.

Vers sept ans, l'école primaire fêla leur union. Moïsette, plus lente, moins précise que sa sœur, peinait à apprendre. Les maîtresses le signalèrent aux parents. De cet entretien, Moïsette tira une rage noire : son rythme d'études, conforme au dernier tiers de la classe, pas pire que celui de ses camarades, n'aurait attiré l'attention de personne si elle n'avait pas été flanquée d'une sœur brillante. Élève normale, elle devenait médiocre parce qu'on la mesurait à Lily ! Elle lui en voulut d'imposer cette comparaison, la maudit silencieusement d'être plus douée et s'accoutuma à rejeter la faute sur Lily quand elle récoltait une mauvaise note.

Vers dix ans arriva l'inéluctable : une institutrice proposa de séparer les jumelles pour placer chacune dans une classe de son niveau. L'enseignante eut beau vanter les mérites de la différence, promettre un meilleur épanouissement, chanter l'efficience d'une formule individuelle, Moïsette baissa la tête et contempla Lily avec répulsion.

À partir de ce moment, elle saccagea régulièrement la chambre de son aînée, abîma ses livres, cassa ses crayons, détruisit ses dessins, troua ses vêtements. Mais Lily rangeait, réparait sans mot dire, protégeant sa cadette. Il ne lui venait pas à l'esprit de la critiquer, convaincue qu'on prenait Moïsette en faible considération.

Calme, réfléchie, Lily empêchait qu'on démasquât les mesquineries de sa sœur. Quand elle pâtissait trop de son agressivité, elle faisait preuve d'un sang-froid astucieux. Ainsi, le jour de leur communion, parce qu'elle tenait aux objets qu'elle avait demandés, elle se rendit tôt à la table où l'on avait déposé les présents, inversa les étiquettes et put donc, le soir même, dans l'intimité de la nuit, lorsque Moïsette échangea leurs cadeaux, récupérer ceux qu'elle avait désirés.

Au cours de leur douzième année, l'équilibre se modifia.

Un matin, Moïsette fixa Lily et déclara :

– Tu as une sale tête.

Bouche bée, Lily la toisa.

– Toi aussi.

Se rangeant toutes les deux devant la glace, elles constatèrent que les reflets leur donnaient raison : leurs visages changeaient.

Une semaine plus tard, Moïsette attacha son regard aux hanches de Lily.

– Arrête de bouffer : tu grossis tant que tu vas péter les coutures de ta jupe.

– Toi aussi.

Encore une fois, le miroir leur confirma le commun désastre. Telle une armée secrète, les hormones avaient envahi leur chair et entreprenaient de la transformer.

Il ne s'écoula plus un matin sans que l'une ne remarquât chez l'autre une imperfection qu'elle retrouvait aussitôt sur elle, un bouton au bout du nez, des seins qui pointent, des poils qui sourdent, de la graisse sur les cuisses, la peau qui s'huile, une odeur nouvelle… Elles avaient quitté les rives de l'enfance pour rejoindre le continent des femmes, mais voguaient pour l'heure sur les eaux de l'ingratitude.

Lily découvrait avec ébahissement son corps neuf

sur sa jumelle. Moïsette, elle, ne supportait pas que sa sœur lui infligeât le spectacle de cette déroute. Passe-t-on vingt-quatre heures sur vingt-quatre en face d'un miroir ? À ses yeux, l'horrible Lily lui rappelait en permanence sa propre laideur ; bref, Lily la harcelait tellement en arborant ses défauts qu'elle l'exécrait.

Providentiellement, une fois que les œstrogènes eurent accompli leur colonisation et fignolé la métamorphose, les sœurs Barbarin se révélèrent jolies. Toutes deux aussi jolies.

Moïsette exultait.

Adieu l'inégalité qu'avait dégagée la scolarité, elles redevenaient identiques !

Paradoxalement, leurs premiers flirts les rapprochèrent. Effrayées par leurs désirs, avides d'exercer leurs pouvoirs récents sur les garçons, passionnées par les jeux de la séduction, elles se consultaient sans cesse et développèrent une forte complicité, laquelle relevait plus d'une solidarité entre soldats affrontant un danger inédit que d'une amitié réelle. Une fraternité d'armes les rassemblait. Elles se racontaient leurs tentatives, leurs échecs, leurs réussites, de sorte que Moïsette, moins hardie que Lily, profitait des ratages de son aînée pour s'aventurer à son tour avec plus d'acuité et plaisait davantage.

Elles s'enivrèrent parfois à duper des garçons en se substituant l'une à l'autre pour un furtif baiser ou un badinage romantique. À l'âge où les adolescentes craignent l'emprise des mâles, elles pavoisaient, fières de dompter les apparences, de dominer leurs prétendants.

S'aimaient-elles ? Indiscutablement, Lily idolâtrait sa sœur, soucieuse de son bonheur, heureuse quand elle était heureuse, malheureuse quand elle ne l'était pas. Moïsette comptait autant qu'elle, sinon plus. À la proximité charnelle qui existait depuis leur naissance, Lily avait ajouté une affection profonde, essentielle.

Pour Moïsette, il s'agissait plus d'habitude que d'amour. Si elle ressentait un besoin quasi physique de Lily, elle n'était pas dévastée par le chagrin lorsque celle-ci allait mal, elle ne prenait jamais d'initiative pour elle ou pour leur couple, elle n'incluait pas son aînée dans ses rêves d'avenir et pouvait même se réjouir de la voir en difficulté.

– Je te présente Fabien.

Un après-midi aussi chaud qu'une étuve, d'un geste de la main Lily désigna à Moïsette un jeune homme brun aux yeux de braise, poitrine bombée, taille cambrée, les jambes évasées comme s'il descendait de cheval.

Depuis qu'elle l'avait rencontré chez une camarade, une semaine auparavant, Lily lui parlait de Fabien et ne lui avait pas caché que, pour la première fois, elle éprouvait de l'amour.

Impatiente, excitée par l'irruption de « l'amour »

dans leur vie, Moïsette comprit l'émoi de Lily en détaillant Fabien, grand, élancé, le maintien élégant tempéré d'effronterie, les cheveux frisés un peu trop longs, l'iris vert troué d'une large pupille sombre qui le faisait paraître hypnotisé par les filles. Bien planté dans le sol, entre le gendre idéal et le voyou, il affichait des lèvres charnues qui dessinaient un sourire cruel et gai.

Moïsette rougit sous son regard, un regard stupéfait devant la parfaite ressemblance des sœurs, un regard chargé de désir… À l'évidence, ce garçon trouvait les jumelles Barbarin à son goût. Moïsette baissa aussitôt les paupières. « Danger ! » hurla une voix intérieure. Son cœur battit fort, ses poings se fermèrent, la sueur empoissa ses aisselles et elle craignit que son sang affolé ne lui rompît les veines du cou.

Pendant l'après-midi qu'ils passèrent tous les trois ensemble, Moïsette laissa Lily décider des divertissements, des promenades, de l'heure du thé, du type de thé, des biscuits que l'on mangerait avec le thé, de l'endroit du jardin où l'on boirait le thé… Rejoignant le retrait et la timidité de son enfance, elle s'effaça, ne rit qu'en écho de son aînée, n'ouvrit la bouche que pour acquiescer. Troublée par le garçon, elle pensait avec lenteur en subissant un engourdissement voluptueux. Cette situation la gênait. Consciente que sa sœur s'enflammait de plus en plus, elle endurait également une surchauffe ambiguë : d'un côté, elle approuvait l'enthousiasme de Lily ; de l'autre, elle se reprochait de le ressentir. Aussi, éreintée par cette tension, poussa-t-elle un soupir de soulagement lorsque Fabien les quitta enfin.

– Alors, ton avis ? s'exclama Lily.

– Comme toi ! répondit Moïsette d'une expiration.

– Je lui plais, non ?

Moïsette songea à l'attitude émoustillée de Fabien lorsqu'il lorgnait Lily.

– Clair !

Lily explosa de joie en virevoltant. Moïsette omit de mentionner qu'elle avait repéré le même engouement de Fabien à son égard.

Une fois que Lily eut achevé sa valse autour de la table, Moïsette se gratta le crâne.

– Est-ce surtout physique, entre toi et lui ?

– Pas seulement.

– Ça a commencé par un regard.

– Évidemment. Je ne l'ai pas rencontré par correspondance…

– Ni au téléphone…

– Ni au téléphone ! Oui, tu as raison, Moïsette : le premier regard nous a électrocutés. Une décharge. Du trois cents volts. Non, mille volts. Un coup de foudre.

– C'est donc surtout physique.

– Non, Moïsette, c'est d'abord physique. Ensuite, il y a tout le reste… Eh oui, tout le reste…

Rêveuse, Lily prononça plusieurs fois « tout le reste » sur un ton mystérieux.

Moïsette hocha la tête : elle ne cernait pas… « tout le reste ». Pendant deux heures, la conversation n'avait été émaillée que de poncifs, de phrases éculées, de plaisanteries réchauffées, de silences embarrassés entrecoupés de rires excessifs ; elle s'en rendait d'autant mieux compte qu'elle avait assisté à ce bavardage plus qu'elle n'y avait participé. Par ses intérêts, Fabien se révélait un garçon banal, brutal, terre à terre, semblable à des milliers, sans autre trait flagrant qu'une frénétique avidité de plaire. S'il paraissait vif à la chasse, son esprit fonctionnait plus lourdement que ses yeux dragueurs.

Gardant son appréciation pour elle-même, Moïsette se félicita *in petto* de sa lucidité, laquelle – aucun doute ! – supplantait celle de sa pauvre sœur enamourée.

Fabien séjournait non loin, à Ambérieu, durant les deux mois de vacances scolaires. Libre de son temps, il se déplaçait à sa guise sur un cyclomoteur que lui avait confié son parrain ; il s'abonna aux visites chez les Barbarin.

La température monta à vive allure entre Lily et Fabien, autant que le mercure des baromètres en cet été torride. Fin juillet, Lily annonça à Moïsette qu'elle n'attendrait pas : elle ferait bientôt l'amour avec Fabien.

– Sans vous marier ?

– Oui !

– Ni vous fiancer ?

– Je m'en moque.

– Pardon ?

– Comprends-moi, Moïsette. Bien sûr, je souhaite passer ma vie entière avec Fabien parce que je l'aime. Mais comment s'assurer que cela arrivera ? « Toute la vie »… Abstrait, non ? Et puis, il n'habite ici que cet été ; il retournera à Lyon en septembre. Ma vie, c'est maintenant, pas demain. D'ailleurs, ne joue pas les étonnées, nous en avons discuté cent fois, toi et moi, nous récusons le mariage. S'il a lieu, tant mieux. S'il n'a pas lieu, j'aurai quand même couché avec Fabien.

Moïsette protesta longuement, ardemment, des heures, des jours. Certes, au rebours des générations précédentes, elle revendiquait aussi la liberté d'être femme avant d'être épouse, mais une force butée l'amenait à s'opposer à Lily en multipliant les arguments pour la réfréner. Quelle force ? Une crainte à mille facettes, la crainte de perdre sa sœur, la crainte de resiéger en position de seconde, « l'autre », la jumelle, la petite en retard, la lente… La gourde, quoi ! En retenant Lily de s'envoler dans les bras de Fabien, elle se battait pour elle, pas pour Lily.

À la mi-août, elle s'apaisa car Lily ne parla plus de se donner à Fabien, changeant de conversation sitôt que sa sœur abordait le sujet. Moïsette triompha. Elle avait empêché Lily de grandir. Mieux valait que deux larves résident en cette maison plutôt qu'une chenille et un papillon.

Le soir du 15 août, après les traditionnelles festivités de la Vierge qui avaient permis à chacun de s'enivrer, Moïsette surprit des chuchotements au bas du bâtiment endormi.

Minuit venait de sonner au clocher.

Inquiète, quittant son lit, elle s'approcha de la fenêtre à pas feutrés. Dans la rue, sous une lune rousse, Lily, les pieds nus, ses sandales à la main, rejoignait un gaillard en blouson sur un cyclomoteur. Chevauchant le porte-bagages, elle étreignit son torse, se lova contre son dos, déjà consentante, et Fabien, battant le pavé avec ses pieds, utilisa la pente et le poids de l'engin pour rouler sans enclencher le moteur jusqu'à la route départementale qui traversait le village. Le couple glissa sans bruit au coin de la rue ; quelques secondes plus tard, on entendit le ronflement des cylindres, lequel s'amplifia brièvement puis s'engloutit dans le lointain…

Le silence reposa sa chape de plomb sur le paysage éteint.

Moïsette frissonna. Jamais elle ne s'était sentie aussi seule…

Où allaient-ils ? Elle l'ignorait. En revanche, ce qu'ils allaient faire, elle le soupçonnait… Sur le toit d'en face, un chat aux yeux fluorescents la fixait. De rage, Moïsette se mordit le poing. Si sa sœur se taisait ces derniers temps, c'était parce qu'elle avait arrêté son choix. Lily la bafouait doublement : elle ne l'écoutait pas et découvrait l'amour avant elle.

– Je la hais ! Je ne l'ai jamais tant détestée.

Elle imaginait sa sœur sous le corps nu de Fabien, lequel s'agitait en creusant les reins et soulevant les fesses.

– Une truie ! Rien d'autre qu'une truie !

À ces mots sifflés entre les lèvres, le chat se redressa, méfiant, raidit sa queue.

Moïsette recula dans la pénombre de sa chambre et aperçut sa silhouette ridicule sur le colossal miroir de l'armoire : une crevette en pyjama.

– Salope ! répéta-t-elle en direction de sa sœur.

Outragé, le chat s'enfuit sur les tuiles.

Ce matin-là, ainsi que les suivants, Moïsette demeura sans voix devant l'évolution de sa sœur. Majestueuse comme une aube, Lily rayonnait, impériale, hiératique, si lumineuse qu'elle imposait le respect. Le teint ambré, les cheveux ruisselants de vitalité, la bouche fraise, les yeux étincelants, Lily, qui avait été une ravissante jeune fille, était devenue une belle femme. Le visage embrasé par un sourire constant, elle décuplait l'ampleur de ses gestes : elle ne marchait plus, elle s'élançait ; immobile, elle se transformait en sphinx ; et lorsqu'elle s'allongeait sur un divan, elle dégageait une sensualité torride, Aphrodite posant pour un sculpteur invisible. Quelque chose l'avait légèrement alourdie, la rendant plus aguichante, plus gracieuse, plus fatale… Le secret de la volupté, peut-être ?

Moïsette cessa de la critiquer tant elle l'enviait. Elle ne désirait que lui ressembler de nouveau.

Aussi se montra-t-elle très cajoleuse pour renouer le dialogue. À force de gentillesse, en signifiant que, consciente de ce qui se passait chaque nuit, elle demeurait néanmoins sa loyale complice, elle regagna la confiance de Lily affamée d'épanchements. Celle-ci lui dépeignit la grange où Fabien l'emportait, la lumière des étoiles sur leurs visages, les frissons de sa peau lorsqu'il la déshabillait, son pouvoir sexuel qu'elle détectait dans les yeux du mâle ardent, extasié, sa puissance érotique qui provoquait autant la patience que l'impatience de Fabien, autant sa délicatesse que sa fougue. Puis, poussée par Moïsette, elle détailla le menu de leurs ébats, ce qu'il lui faisait, ce qu'elle lui faisait, ce qu'elle appréciait de plus en plus, ce dont elle raffolait, ce qu'elle tenterait bientôt… Elle évoqua la peur qui paralysait au début, qui encourageait ensuite. Elle décrivit le chemin de la pudeur, ce dégoût qu'on avait éprouvé depuis l'enfance à l'idée de certains attouchements, un dégoût qui fondait durant l'amour, un dégoût qui se muait en son contraire, la gourmandise, bref ce dégoût qui s'avérait la marque des fillettes.

Envoûtée par ces récits, Moïsette devenait une femme par procuration, retrouvant presque l'indivision de leurs premières années. La nuit cependant, lorsque Lily fuyait la maison sur le cyclomoteur de Fabien, Moïsette, seule dans son lit, se remettait à la honnir, négligée, reniée, en rage de n'avoir plus que le loisir de fantasmer.

Le 31 août, un événement dramatique perturba la vie des Barbarin. Au repas du soir, un cousin tambourina sur la porte pour annoncer que la grand-mère Garcin s'éteignait et qu'elle réclamait sa fille.

Madame Barbarin, paniquée, décida de la rejoindre immédiatement à Montalieu, 15 kilomètres au sud. Monsieur Barbarin fonça chercher sa voiture au garage pour conduire son épouse.

La Citroën stationnait devant le perron, moteur allumé. Escortée par ses jumelles, madame Barbarin franchit le seuil puis se tourna subitement vers Lily.

– Accompagne-moi.

Lily recula dans le couloir.

– Moi ?

– Oui.

Quoique peinée par ce qui arrivait à sa grand-mère, Lily songea à Fabien qui l'attendrait cette nuit comme les autres. Elle jeta un regard de détresse à Moïsette. Elle répéta :

– Moi ?

– Dépêche-toi ! Ouste ! Mets tes chaussures.

– Tu en es sûre ? balbutia Lily.

– Oui, viens veiller ta grand-mère.

– Pourquoi moi et pas Moïsette ?

Agacée, fébrile, la mère ne s'attarda pas à soigner sa formulation en entrant dans la voiture et lâcha :

– Parce que ta grand-mère t'aime beaucoup !

Les jeunes filles frémirent. Moïsette appuya son dos sur le mur du corridor – elle serait tombée si la cloison ne l'avait retenue. Quoi ? Sa grand-mère adorée ne l'adorait donc pas ? Elle lui préférait Lily ? Elle aussi ?

Lily mesura le coup qu'on assénait à sa sœur et la dévisagea avec pitié. La mère perçut ce regard, comprit sa maladresse et, au lieu de s'en excuser, s'encoléra :

– Ah zut, ça suffit ! Ne compliquez pas les choses, toutes les deux. Pas ce soir. Lily, tu me suis. Moïsette, tu gardes la maison. À demain !

Elle claqua la portière. Lily eut vingt secondes pour monter à l'arrière. La voiture démarra en trombe.

Moïsette resta un long moment dans l'embrasure. Seule… Une fois de plus… Seule… À l'écart des drames familiaux… À l'écart des affections familiales… Seule… Elle devait garder la maison… Comme un chien… Seule…

Sa résolution fut prise incontinent. Elle monta dans la chambre de Lily, s'enferma dans la salle de bains, se nettoya, se prépara, s'aspergea de son parfum et enfila une de ses robes.

À minuit passé, quand Fabien parut, Moïsette piétinait sous le porche des voisins, ainsi que Lily l'aurait fait.

Elle se jeta sur le porte-bagages, serra Fabien contre elle, se colla à son dos et se laissa emporter...

Deux heures plus tard, elle était devenue une femme dans les bras de l'homme. Elle n'avait pas reconnu tout ce dont sa sœur lui avait parlé, mais une partie. Au début, elle s'était appliquée, trop sans doute pour en profiter, puis, dans leurs ultimes embrassements, elle s'était enfin abandonnée et avait ressenti de puissantes émotions.

Maintenant, ils reposaient nus, sur le dos, côte à côte, en fixant la lune qui apparaissait derrière le vasistas du toit. Ce soir-là, le ciel contenait plus d'étoiles que jamais. Ils se taisaient tous deux, harassés, tentant de récupérer leur souffle.

D'abord béate, à mesure que son corps se détendait et que son cœur se ralentissait, Moïsette soupçonnait que le plus ardu l'attendait : la conversation. Jusque-là, ils n'avaient échangé que quelques marmottements dans le village, ils avaient roulé dans la nuit, puis s'étaient aussitôt jetés l'un sur l'autre au milieu du grabat improvisé parmi les bottes de foin.

Se trahirait-elle en bavardant ? Elle en eut peur, soudain.

Fabien se tourna vers elle, s'appuya sur le coude, caressa ses flancs en l'observant.

Gênée, elle sourit. Il sourit à son tour.

– Alors Moïsette, ça t'a plu ?

Elle se pétrifia, hésita, puis trouva la vigueur de lancer un rire qui ne sonnerait pas faux.

– Ha, ha, ha... Pourquoi m'appelles-tu Moïsette ?

Ouf, elle avait réussi ses intonations : on aurait cru entendre Lily époustouflée par une bonne blague. Elle répéta donc :

– Pourquoi m'appelles-tu Moïsette ?

– Parce que tu es Moïsette.

– En ce moment, Moïsette dort dans son lit, comme toutes les nuits.

Le sourire de Fabien s'allongea, acéré.

– Tu me prends pour une bille ?

Moïsette frissonna, mais s'obstina :

– Fabien, dis-moi : pourquoi m'appelles-tu Moïsette ?

Fabien désigna tranquillement les taches sombres sur la partie inférieure du drap.

– On ne perd pas sa virginité deux fois.

Moïsette verdit. Des marques de sang ! Dans l'ardeur des ébats, elle s'était à peine rendu compte qu'elle saignait.

– Pardon ?

– Ce sang, là, ce soir, c'était quoi ?

Horrifiée, comprenant simultanément ce qui s'était produit et ce que pensait Fabien, elle ramassa ses jambes contre son torse, enfonça son menton entre ses genoux et se ferma.

Railleur, il suivait ses gestes. La nuque lourde, elle n'osait plus le regarder.

Il persévéra d'une voix lente, lascive :

– Je m'en suis douté. Et puis j'ai reçu la preuve.

– Quand ?

Il haussa les épaules et, sarcastique, pointa les souillures brunâtres.

– Vite.

– Et tu as continué ?

– Comme toi…

Effarée, elle tourna son visage vers lui. Il plissa les yeux et rit à pleines dents.

– On recommence quand tu veux.

Moïsette se contracta. Elle réprouvait le virage de la scène. Tout lui échappait.

Elle sauta sur ses pieds, agrippa ses vêtements et se rhabilla en hâte. Il demeurait nu, impavide.

Lorsqu'elle fut prête, il l'attrapa violemment par les chevilles, la déséquilibra, la plaqua au sol, la roula sous lui. Sa voix prit un éclat métallique :

– Sérieux : on recommence quand tu veux.

– Quoi ? Tu ferais ça à ma sœur !

– Quoi, ça ?

– La tromper !

– Oui, je ferais ça. Comme toi tu l'as fait.

Moïsette se débattit en lui portant des coups de pied.

– Fumier ! Espèce de pourri ! Lâche-moi.

Ravi de sa résistance, il pesa sur elle, la maîtrisa, l'immobilisa. À quelques centimètres des siens, ses yeux devinrent féroces.

– Regardez-la, celle-là, qui donne des leçons de morale ! Ça pique le copain de sa sœur, et ça s'indigne !

– Lâche-moi.

– Moi, au moins, j'ai l'excuse de t'avoir confondue.

Elle détourna le visage. Il la libéra brusquement, glissa sur le côté et se vêtit, impassible.

Ressassant son humiliation, Moïsette se frottait les poignets.

Une fois réajusté, il sembla la découvrir au sol, lui tendit la main et l'aida à se relever, galant.

– C'est quand tu veux, où tu veux.

Elle se redressa sans répliquer. Il insista, goguenard :

– Et même avec ta sœur, si ça vous tente.

Moïsette quitta la grange à grandes enjambées. Il la talonna en fumant.

Assise sur le cyclomoteur, alors qu'elle traversait la nuit hostile et refroidie, Moïsette perçut dans quel piège elle s'était coincée. Que dirait-elle à sa sœur ? Rien, bien sûr. Mais lui, demain, s'il lui dévoilait cette nuit. Ou une partie. Comment se justifierait-elle ? Que…

Elle trembla.

Injustice ! Tandis qu'elle venait d'éprouver des sensations immenses, océaniques, alors qu'elle accédait à la féminité suprême, elle n'avait pas le droit de s'en régaler par la faute de sa satanée sœur ! Sa sœur, ce poison, ce trouble-fête, cette nuisance, cette empêcheuse de jouir ! Horrible Lily !

À l'entrée du village, juste avant les réverbères, lorsque Fabien coupa le moteur et déposa Moïsette, elle se planta devant lui. Ni sa voix ni son regard ne vacillaient.

– Tu ne dis rien à ma sœur.

– Ah oui ?

– Tu ne dis rien à ma sœur sinon je te balance.

– Quoi ?

– J'expliquerai que j'étais descendue te prévenir qu'elle ne pouvait te rejoindre à cause de notre grand-mère, mais que tu m'as forcée et que tu m'as violée.

– Ouh la la, c'est vraisemblable, ça !

– Très crédible puisque tu l'as avoué : tu aimes le physique des sœurs Barbarin. Alors, l'une ou l'autre, pour toi, quelle différence…

Il grimaça.

Elle continua, virulente :

– À ton avis, qui Lily croira-t-elle ? Celle avec qui elle partage tout depuis le premier instant, sa jumelle de toujours et pour toujours ou son copain d'un été ?

– Tu…

Il pâlit.

Sentant qu'elle l'emportait, elle porta l'estocade finale :

– Pourquoi lui raconterais-tu notre nuit, d'ailleurs ? Si elle te croit, elle te vomira. Si elle ne te croit pas, elle te maudira. Dans les deux cas, tu la perds, voilà l'unique certitude.

Il baissa la tête.

Moïsette avait gagné.

Ils demeurèrent une minute ainsi, elle le toisant, lui scrutant le sol. Leurs corps restaient chauds des deux heures d'étreintes, leur peau dégageait encore des odeurs affriolantes, leurs membres avaient de nouveau envie de… Ils s'excitaient abominablement.

Il murmura d'une voix rauque :

– Tu es vraiment une garce.

Elle répondit d'un souffle :

– Et toi, un beau salaud.

Il releva les mâchoires et soudain, sans qu'aucun ne comprenne, ils s'embrassèrent passionnément. Leurs langues fourrageaient, se repoussaient, s'enroulaient, se tiraient, se chassaient, salivantes, écumantes. Il posa sa paume sur ses fesses, elle émit un râle de plaisir. Ses doigts à elle cherchèrent dans le pantalon en toile le sexe dur.

Un chat miaula furieusement sur le bas-côté.

Constatant qu'elle cédait le contrôle, Moïsette s'arracha au baiser, dévisagea Fabien et lui cracha dessus.

Il cracha à son tour.

La bave qui frappa la tempe de la jeune fille descendit, brûlante, le long de sa joue, de son cou, et envoya une décharge dans son ventre. Un élan broyait les entrailles de Moïsette, comme tout à l'heure, sous le toit de la grange. Affolée, elle tourna les talons, s'enfuit, craignant d'éprouver, là, au milieu de la chaussée, un deuxième orgasme.

De retour à la maison, lorsqu'elle l'entendit démarrer, Moïsette suspendit sa course, s'appuya au mur et fondit en larmes, exaspérée, bouleversée, incapable de déterminer si elle était insupportablement malheureuse ou profondément heureuse.

*

À Bourg-en-Bresse, ce lundi-là, la foule ne se pressait guère au palais de justice.

Fabien Gerbier tiquait. D'ordinaire, les homicides remplissaient la galerie. Lui-même, en quatre-vingts ans de vie, avait suivi plusieurs procès ici, celui de la veuve noire Marie Morestier, celui du père Pucier qui avait trucidé ses trois fils, celui du camionneur dépeceur de serveuses. Des succès de curiosité à chaque fois, des triomphes. Que se passait-il ? Une sœur tuant sa sœur, cela relevait du rare, de l'événementiel, du croustillant, cela méritait l'affluence et l'effervescence des grands jours… Or, dans la froide salle d'audience qu'une employée maussade lavait encore à la serpillière, six individus égouttaient leur parapluie sous les bancs. Au-dehors, une pluie molle engourdissait la ville.

– C'est la faute des médias ! marmonna-t-il.

Comme quotidiens, radios et télévisions n'avaient pas

offert d'écho à cette affaire, le public l'ignorait et aucun reporter ne couvrait l'événement.

Fabien Gerbier s'assit en face du pupitre en merisier où siégerait bientôt l'accusée.

– Elle sera obligée de me voir, ricana-t-il. J'incarnerai sa conscience, puisqu'elle n'en a pas.

Désinvolte, café à la main, un avocat déambulait en devisant avec une collègue :

– Selon moi, cela s'expédiera dans la journée : le dossier est vide.

Fabien Gerbier sursauta. Quoi ? La police n'avait rien trouvé ? Ces incapables minoraient ce qu'il affirmait depuis des mois : Lily Barbarin avait assassiné sa sœur Moïsette ; cette dernière n'était pas morte d'un accident.

Rageur, il se souvint combien il avait bataillé pour contraindre les autorités à investiguer, elles qui, au départ, à l'unisson du village, avaient conclu à un malheur fortuit. Sans relâche, Fabien avait proposé des indices. En vain ! Las, il avait alors menacé d'ameuter les journalistes pour dénoncer une enquête bâclée.

« Enfin, monsieur Gerbier, répétaient les instructeurs, pourquoi voulez-vous qu'une dame de quatre-vingts ans tue sa jumelle ?

– Que connaissez-vous aux jumelles ? répliquait Fabien Gerbier.

– Elles vivent ensemble depuis plus de quatre-vingts ans !

– Ah oui ? Il y a une date limite ? À quatre-vingts ans,

on ne peut plus devenir un assassin ? Si moi, demain, je bute un gendarme, on ne me capturera pas ?

– Vous n'apportez pas de preuves, monsieur Gerbier. Seulement des arguments et des soupçons.

– Des arguments et des soupçons, cela a suffi à conduire de nombreux suspects aux assises puis en prison. Pas elle ? »

La réponse entra dans la salle d'audience, encadrée par deux policiers : rose, avenante, fragile, Lily Barbarin, aussi délicate qu'une porcelaine, le visage ensoleillé de ridules, avança à petits pas modestes, figuration de l'aménité et de la sollicitude, dotée d'un crédit inaltérable de grand-mère gâteau.

« Elle bluffe tous les crétins infoutus de dépasser les apparences », songea Fabien. Plissant le front, menton en avant, il la fixa avec animosité. À la différence des autres, il était persuadé de sa culpabilité : il la côtoyait depuis ses dix-huit ans.

*

Moïsette était rassurée : Fabien n'avait pas soufflé mot.

Lily était revenue à la maison – la grand-mère se remettait d'un infarctus bénin – et n'avait pas changé de comportement avec sa jumelle ; elle continuait à la prendre pour confidente, à lui confesser ses flottements, ses jubilations, ses attentes. Moïsette, consciente qu'elle bénéficiait d'un sursis de respect qui pourrait lui être retiré un jour, lui témoignait une profonde gentillesse. Peut-être tentait-elle de compenser sa félonie, voire de l'effacer ?

Chaque soir, à minuit, Lily rejoignait Fabien. Depuis la fenêtre d'où elle observait le couple disparaître dans l'obscurité, Moïsette savait maintenant où et comment se poursuivaient leurs retrouvailles.

Depuis sa nuit dans les bras virils, Moïsette se rapprochait de sa sœur, elle la comprenait mieux et la jalousait moins. Au fond, Fabien ne lui plaisait pas vraiment ; lors de leur rencontre, elle avait surtout goûté la violence des sensations ressenties. De son émancipation, il avait été l'instrument, pas la cause. Elle s'était servie de lui. Rien de plus. Même si elle conservait un bon souvenir de son corps et de ses caresses, elle le tenait en piètre estime pour son étroitesse d'esprit, pour la perversité de son attitude, pour sa goujaterie envers Lily.

Moïsette jugeait que Fabien avait commis une faute : il avait sciemment trompé sa sœur. Il ne la méritait pas. À quiconque lui aurait objecté qu'elle aussi avait mal agi, elle aurait riposté qu'elle ne brisait pas les ménages, elle ! Non, elle n'avait pas incité Fabien à la traîtrise puisqu'elle s'était fait passer pour Lily. Tout serait rentré dans l'ordre s'il ne s'était pas acharné à coucher avec elle après l'avoir reconnue ; là commençait le vice.

À certains moments, Moïsette se révélait tellement en harmonie avec sa sœur, une femme comme elle, qui connaissait la peau de l'homme, l'odeur de l'homme, le sexe de l'homme dans son ventre, qu'elle avait envie de le lui confier. Oui, elle aspirait à exprimer sa joie, à partager son extase. Hélas, cela impliquait d'avouer comment elle y était arrivée. Elle se taisait mais en voulait à Lily de la réduire au silence. « Elle m'a tout raconté dans le détail, et moi je dois fermer ma gueule. Quelle injustice ! »

Quand Lily se mit à pleurnicher à l'idée que la fin des vacances la priverait de Fabien, Moïsette la recadra :

– Tu plaisantes, Lily ? Tu ne vas pas fricoter avec ce garçon au-delà de l'été ?

– Je l'aime.

– Et lui, t'aime-t-il ?

– Je crois.

– Te l'a-t-il dit ?

– Oui.

– Quand ?

– Au début.

– Au début et plus maintenant ?

– Euh… non.

– Au début pour coucher avec toi. Plus depuis lors. Tu ne trouves pas ça curieux ?

– Il n'a pas besoin de me le dire, il me le prouve.

– Comment ?

Lily papillota en rougissant.

– Tu sais bien…

Moïsette tourna la tête : effectivement, elle ne le savait que trop.

La rupture s'avéra laborieuse. Chaque fois que Fabien lui expliquait qu'ils se séparaient, Lily l'implorait. Comme il succombait, leur histoire reprenait et Lily croyait avoir gagné.

Le 4 septembre, il partit à Lyon entamer son année de terminale au lycée Édouard-Herriot. Lily pleura tellement que Fabien daigna revenir, deux samedis, à Saint-Sorlin. Bien qu'il lui précisât de nouveau que leur liaison appartenait au passé, leurs jeunes corps sautèrent l'un sur l'autre et ils firent et refirent l'amour.

Moïsette tempêtait. À Lily, elle conseillait de repousser un garçon qui ne voulait plus d'elle. À elle-même, elle avouait que le danger ne fondrait que lorsque Fabien leur aurait faussé compagnie.

– Écoute-moi, Lily. Votre histoire n'en finit pas de finir… Tu souffres ! Quitte-le une fois pour toutes, sans dispute, et ne le croise plus jamais. C'était ton premier amour, mais c'était un amour d'été.

– Tu as sûrement raison, approuvait Lily entre deux sanglots.

Un samedi d'octobre, Lily inventa un anniversaire d'amies afin de justifier son absence et rejoignit Fabien en bus à Lyon. Surpris quoique prévenu, amadoué, il coucha à nouveau avec elle dans sa chambre d'adolescent, sous des posters de footballeurs. Après l'étourdissement du plaisir, lorsqu'elle l'implora de regagner Saint-Sorlin, il se mit à hurler :

– Assez ! Fiche-moi la paix ! J'en ai marre, des sœurs Barbarin !

Comme mordue par un serpent, Lily rétorqua :

– Les sœurs Barbarin ? Taré ! Je ne suis pas les sœurs Barbarin, je suis Lily.

– Ah oui ? Pas tous les soirs…

– Comment ?

– Vous êtes deux dévergondées.

– Pardon ? Tu me bassines pendant des semaines pour que je couche avec toi, je cède, nous passons des moments fantastiques, et en récompense, tu me rejettes en me traitant de dévergondée ?

– Exactement, dévergondée ! Et ta sœur autant que toi !

– Oh, arrête avec ma sœur ! Moïsette n'a rien à voir avec toi ! Tant mieux, d'ailleurs… Fréquenter un mec pareil, la pauvre, je ne le lui souhaite pas.

– Elle ne partage pas ton avis !

– Hein ?

– Ta sœur a le feu au cul.

– N'importe quoi ! Tu insinues que ma sœur couche avec des mecs ?

– Non, avec un mec.

– Un mec ?

– Un mec !

– Et qui ?

– Ha, ha…

– « Ha, ha »… Espèce de bouffon ! Elle me l'aurait dit, figure-toi.

– Je ne crois pas.

– Nous nous racontons tout.

– Vraiment ?

– Certaine.

– Ah oui ?

– Ravale tes médisances : ma sœur me dit tout !

– Elle t'a dit qu'elle avait couché avec moi ?

Lily reçut cette phrase comme un coup de poignard dans la poitrine. Elle en resta groggy, hébétée.

Alors, avec une cruauté méticuleuse, il lui narra ce qui s'était passé. Elle rechigna d'abord, puis subit en silence l'achèvement du récit.

Moïsette avait eu raison lorsqu'elle avait annoncé à Fabien que Lily romprait sitôt qu'il lui relaterait cette nuit : après cette chronique minutieuse, elle ramassa ses affaires, n'adressa plus un mot à Fabien, quitta l'appartement et prit, visage convulsé, le dernier bus qui la ramenait à Saint-Sorlin.

Une fois rentrée, elle monta à la salle de bains, avala la trentaine de cachets que l'armoire à pharmacie contenait, se rendit dans sa chambre, s'y enferma et, la chevelure bien peignée, les vêtements lissés, elle s'étendit sur son matelas pour attendre la mort.

Heureusement, Moïsette, l'ayant entendue rentrer, s'était inquiétée de ne pas la voir surgir pour tout lui confier, à son habitude. Une heure plus tard, elle avait gratté à sa porte.

L'absence de réponse l'alarma. Elle persévéra, tourna la poignée, buta contre le battant qui résistait, supplia puis, n'obtenant aucune réaction, hurla. Rien ne bougeait dans la chambre de Lily.

En hâte, Moïsette descendit prévenir son père, celui-ci défonça la porte, trouva Lily inconsciente et l'on appela les pompiers.

Lily fut sauvée par l'équipe médicale.

Quoique ses parents attribuassent son geste à un échec amoureux, Moïsette devinait qu'il s'agissait d'une désolation plus grave : à l'indifférence de Fabien s'adjoignait la fourberie de Moïsette.

Elle s'en voulut.

Beaucoup.

Pas très longtemps, car se condamner l'incommodait. Peu disposée au remords, supportant mal d'être l'ennemie d'elle-même, Moïsette ruait dans les brancards de la culpabilité, se cherchait des circonstances atténuantes, se les énumérait, chargeait sa mère, son père, sa grand-mère, Fabien, puis, pour purger son malaise, s'en prenait à sa victime car, de nouveau, Lily mobilisait les attentions, Lily devenait le centre du monde. En dépit de sa honte, Moïsette maudissait sa sœur.

Ses parents proposèrent de l'emmener à l'hôpital.

– Non ! hurla-t-elle.

Devant leur stupeur, elle sentit la nécessité de se justifier :

– Je me tâte encore. Ça me fait trop de peine.

Ils se soumirent. Le lendemain, resollicitée, elle les rembarra identiquement en y ajoutant des larmes, le surlendemain de la colère ; enfin, elle menaça de se trancher les veines s'ils s'acharnaient.

Une semaine plus tard, Lily exigea la présence de sa sœur.

Privée de prétextes, Moïsette entra dans la chambre d'hôpital, la nuque basse, les joues en feu, plus alanguie qu'un prisonnier qu'on mène au supplice. Les murs coquille d'œuf créaient une atmosphère étrange, comme si un soleil qui avait autrefois illuminé les parois s'était éteint. Lily, en nuisette, reposait sur un lit aux chromes volumineux et étincelants, impressionnante.

Elle regardait sa sœur s'approcher.

Moïsette se figea lorsque leurs yeux se croisèrent. Médusée, elle bloqua son souffle.

– Tu sais que je sais ? prononça Lily d'une voix cotonneuse.

Moïsette baissa le front en signe d'acquiescement. Lily soupira.

– Tu t'en doutais. C'est pour cela que tu n'es pas venue ici ? Tu as honte ?

Les larmes coulèrent sur les joues de Moïsette.

Lily sortit une main des draps et saisit le poignet de sa sœur.

– Je te pardonne.

Moïsette remarqua l'inflexion onctueuse de la phrase – sa peau se glaçait tandis que celle de Lily diffusait de la chaleur –, mais elle ne la comprit pas tout de suite.

Lily insista :

– Tu es ma sœur, je te pardonne.

Moïsette releva la tête, semblable au condamné à mort qui ne parvient pas à croire que le bourreau a jeté sa hache au loin.

Lily sourit avec effort, lenteur.

– Un garçon ne nous séparera pas, pas nous…

Moïsette écarquilla les paupières. Lily précisa :

– Surtout pas celui-là !

Les jumelles éclatèrent de rire, un rire de gorge, douloureux, un déchirement sonore qui expulsait l'angoisse, la déception, l'effroi, la solitude. Moïsette se jeta contre la poitrine de sa sœur et y sanglota interminablement.

Lily aimait sa jumelle. Elle l'aimait comme elle était, avec ses défauts, sa jalousie, son immuable envie de s'approprier ce que possédait son aînée, ouverte à la perfidie, au vol, au crime. Moïsette souffrant davantage qu'elle, elle devinait que cette dernière se conduirait toujours mal. À dix-huit ans, elle n'espérait plus la changer, elle entendait l'excuser, la protéger.

De retour à la maison, elle se rétablit vite, comme si ce suicide irréfléchi lui avait permis de réfléchir. Dégagée des brouillards de la passion, elle analysait la situation avec sagacité : elle ne pardonnait pas à Fabien parce que, au fond, elle ne l'avait jamais aimé ; elle pardonnait à Moïsette parce qu'elle l'aimait. À l'avenir, se jura-t-elle, elle ne confondrait plus le désir avec une affection authentique. Leçon tirée pour son existence entière... Il lui sembla avoir accédé à la vérité par l'erreur, à la sagesse par la folie.

– Ma pauvre Moïsette...

Lily médita et soupçonna que sa présence n'améliorait pas le caractère de Moïsette. Acculée à une perpétuelle confrontation qui ne la mettait pas en valeur, sa cadette traversait plus âprement que d'autres les étapes ordinaires de la vie. Sans Lily, elle ne tituberait pas sous le feu des critiques, elle suivrait un chemin moins accidenté.

Cette conjecture ébranla Lily. Elle retraça mentalement leur histoire et se jugea responsable des perversités de sa jumelle. Pire : coupable ! « Nul n'est méchant volontairement », cette sentence socratique que lui soumit le professeur de philosophie en sujet de dissertation résonna dans son esprit : Moïsette n'était méchante ni par nature ni par intention, elle ne l'était qu'à cause de Lily.

Se considérant fautive, Lily se montra très affectueuse avec sa jumelle durant des mois, au point que celle-ci, soulagée, commença à oublier son forfait et s'estima de nouveau.

En juin, elles réussirent le baccalauréat – mention bien pour Lily, rattrapage pour Moïsette. L'examen sonnait la fin de l'enfance. Elles allaient intégrer la société, s'y creuser une place. Moïsette annonça qu'elle briguait un emploi de serveuse à l'auberge de Bresse, non loin du village, sur la route des Truites. Après un silence d'un mois, Lily avoua à ses parents qu'elle ambitionnait d'étudier le droit à Lyon.

La nouvelle décontenança : jusqu'ici, Lily n'avait pas exposé le moindre projet d'avenir et les jumelles avaient emprunté la même direction.

Puis les Barbarin consentirent et promirent leur soutien financier. Moïsette n'accueillit pas ce choix avec entrain : la perspective de voir s'éloigner Lily l'angoissait. Morose, d'humeur chagrine, elle cessa de s'alimenter plusieurs jours.

– Tu es triste, Moïsette ?

– Lily s'en va, maman.

– Ma pauvre chérie…

– J'aime ma sœur, soupirait Moïsette.

Naturellement, Moïsette appelait amour cette longue pratique qu'elle avait de sa sœur, leur contiguïté physique, leur proximité animale ; elle appelait amour le fait de se référer à elle en permanence ; elle appelait amour son confort en face de l'être qui ne la désavouait jamais ; elle appelait amour son envie, sa convoitise, sa rancune, ses désirs de vengeance, ses éclairs d'agressivité ; elle appelait amour sa haine tenace de son aînée.

Sous l'apparence de la déprime, elle se renfrogna. Voilà que, une fois encore, Lily décrochait le statut de vedette : on allait s'inquiéter pour elle, dépenser de l'argent pour elle, pousser des cris d'admiration pour elle. Moïsette anticipait le déroulement des années : éclipsée par les hautes études de sa sœur, elle repasserait dans l'ombre, elle redeviendrait celle dont on ne parlait pas, « l'autre ».

De son côté, Lily avait pris cette décision autant pour sa vie que pour Moïsette, convaincue que son retrait libérerait sa jumelle qui affronterait son destin affranchie des comparaisons.

Les filles s'éloignèrent et s'en trouvèrent bien.

Lily apprenait à se débrouiller dans une métropole, Lyon, cette cité double mais tempérée, où deux collines, Fourvière et la Croix-Rousse, se mirent dans deux cours d'eau. Isolée d'abord, la jeune fille fut rapidement entourée d'étudiants et d'étudiantes qui s'attachaient à sa personnalité radieuse. Plusieurs garçons tentèrent de la draguer ; or, instruite par ses déboires avec Fabien, désireuse de consacrer son énergie au droit, elle les tenait à distance en attendant le bon.

À l'auberge de Bresse, Moïsette s'épanouissait comme serveuse, une tâche pragmatique qui lui convenait et qu'elle assurait avec brio. À la différence de sa sœur, plus libre de son temps et plus curieuse des hommes, elle multipliait les aventures. De même qu'en cuisine elle goûtait les plats qu'elle portait en salle, elle testait les mâles en dehors de ses heures de travail. Avec discrétion et efficacité, elle menait le jeu, déterminant le début, la fin, maîtrisant ses sentiments inexistants, cherchant à se connaître et à mieux cerner la faune masculine.

Lorsque les deux sœurs se retrouvaient, c'est Moïsette qui débordait d'histoires à débiter, ce qui réjouissait Lily et lui prouvait qu'elle avait eu raison de partir. Sa sœur s'affirmait.

Au fond d'elle pourtant, Lily regrettait Saint-Sorlin, son village fleuri peuplé uniquement de visages familiers, ses ruelles pavées mille fois parcourues, son exiguïté protectrice. Dans son studio encastré en haut d'une tour, guettée par le vertige, elle songeait à ses parents, elle développait une nostalgie des joncs aux berges du Rhône – à Lyon, le fleuve ne léchait plus que des quais pierreux –, des chats assoupis sur les murs, des chiens aimables en liberté, des mésanges qui pépiaient telles des concierges, des hirondelles qui descendaient avertir de l'orage, des escargots tendres envahissant les haies après la pluie, des ânes aux yeux langoureux, des vaches qui saluaient le passant d'un meuglement. Au fond, elle se passionnait peu pour ses cours de droit, elle menait consciencieusement ses études sur le chemin qu'un soir d'été elle avait emprunté pour céder la place à sa sœur. Elle persistait par cohérence davantage que par goût.

Un jour de mélancolie, elle confia imprudemment son amertume à une amie, laquelle rapporta le dialogue dès le lendemain à Moïsette. Oubliant la récente trêve, la cadette devint furibonde. Quoi ? Sa sœur jouait les martyres ? Sa sœur prétendait se sacrifier ? L'hypocrite ! Elle accaparait l'argent des parents pour ses études, elle s'élevait dans la société grâce à ses diplômes, elle fréquentait des intellectuels, et il faudrait la plaindre ? Pas possible, un culot pareil… Elle, Moïsette, ne coûtait rien à personne ! Si elle habitait chez ses parents, elle contribuait aux frais de la maison, elle se prêtait aux tâches collectives. La Lily, elle revenait – quand elle revenait ! – fatiguée de Lyon, telle une princesse, et l'on veillait à ce qu'elle se repose. On se surmène aussi vite à vingt ans ? Lire des livres, ça esquinte ? Écouter un professeur, ça crève ? Si encore elle bougeait son cul, la Lily, si elle courait d'un bout à l'autre de l'auberge avec des plats brûlants dans les mains, on comprendrait son épuisement, oui, si elle bravait des clients qui râlent parce qu'ils avaient précisé « truite au gril » et pas « meunière », ou parce que leur tante Zoé ne préparait pas l'île flottante ainsi, on compatirait. Mais là ! Sans soucis matériels, installée dans un studio qui surplombait la Part-Dieu !

Ses anciens démons reconquirent Moïsette. Trois ans d'accalmie ne l'avaient pas changée, elle pestait ! Quand elle revit sa sœur, elle n'en montra rien, mais constata, en posant des questions habiles sur un ton insignifiant, à quel point leur amie disait vrai : Lily n'appréciait pas de vivre loin des siens et de Saint-Sorlin.

Plus que de la pitié, elle éprouva de la rancœur. Lily se forçait par amour et cela même horripilait Moïsette. Elle, elle ne l'aurait pas fait ! Elle, elle ne se serait rien imposé de tel ! Pourquoi ?

Moïsette y réfléchit des semaines et se rendit à l'évidence : elle ne se serait jamais sacrifiée parce qu'elle ne ressentait aucun attachement. Nulle affection ne l'inclinait à préférer sa sœur à elle. Au contraire. Voilà ce qui la choqua : elle découvrit que Lily l'aimait, tandis qu'elle ne l'aimait pas.

– Salope !

Spontanément, elle retrouvait le mot qu'elle avait lancé naguère, la nuit d'août où Lily s'était enfuie sur le cyclomoteur de Fabien Gerbier.

– Salope !

Ce monopole de l'amour, n'était-ce pas une nouvelle manière pour Lily de se hisser au premier rang, celui de la sœur fidèle, de la jumelle accomplie, la parfaite, la supérieure ?

Cet amour, il infériorisait Moïsette qui ne le partageait pas. Il la salissait. Il la rendait piteuse, misérable, minable. Il l'abaissait, à l'instar de tout ce qui venait de son aînée depuis toujours. Cet amour, elle l'abominait.

Inconsciente des pensées qui agitaient sa cadette, Lily entama sa maîtrise de droit et tomba amoureuse de Paul Denis, un étudiant brillant et fauché, qui, de ses lunettes rafistolées, la regardait comme une étoile inaccessible, bien qu'il mesurât deux mètres.

L'arrivée de cet échalas sonna l'alerte pour Moïsette : elle devait réagir et ne pas se laisser distancer par sa sœur.

Dans son lot d'ex-amants, d'amants actuels et de futurs amants, elle chercha qui la valoriserait le plus en cas de mariage. L'examen dégagea un vainqueur, le candidat Xavier Forêt, fils des grands bourgeois Forêt, lesquels avaient des intérêts dans les supermarchés de la région, autrement dit l'héritier d'une fortune.

Ingénieuse, rompue aux hommes, Moïsette sut créer l'attachement chez Xavier Forêt, le chauffa, l'échauda, le rabroua, le réexcita et parvint à lui extorquer une demande en mariage.

Ce dimanche soir-là, on sabla le champagne chez les Barbarin. Lily avait terminé son droit et Moïsette tirait une croix sur la restauration puisqu'elle épousait un fils de famille. Quelle réussite !

On rit, on but, on rerit, on rebut. Au sein de cette euphorie, rougissante, Lily avoua alors à ses parents qu'elle désirait aussi épouser l'homme de sa vie, Paul Denis.

– Que fait-il ? s'exclamèrent les parents.

– Des études de droit.

Les yeux de Moïsette flambaient en savourant cette scène qu'elle avait prévue.

– Et ses parents ?

– Ils sont morts.

– Pardon ?

– Un accident d'avion.

– A-t-il de la famille ?

– Non.

– Non ?

– Non.

– Il y a des gens qui ont vraiment la poisse ! conclut la mère d'un ton pincé, comme si l'orphelin avait tué les siens.

Le père lui envoya un coup de pied pour l'interrompre mais, abasourdi aussi, mit trente secondes à reprendre la conversation avec une mine réfrigérante :

– Qui finance ses études ?

– Personne. Il a reçu une bourse.

– Ah…

– Et il surveille un parking, la nuit, pour se payer sa chambre.

Tandis que la voix de Lily blanchissait, Moïsette jubilait intérieurement.

La mère se racla la gorge et parvint à murmurer :

– Il a du mérite…

Moïsette déboucha une nouvelle bouteille de champagne avec enthousiasme et s'adressa en souriant à la cantonade :

– Encore un peu de mousseux ? Enfin, quand je dis mousseux… du dom-pérignon ! Au diable l'avarice ! On peut en abuser, Xavier m'a livré une caisse de douze ! Qui en veut ?

Le bruit des bulles meubla le silence consterné des parents qui n'osaient s'opposer frontalement à Lily.

– Quels diplômes a-t-il ?

– Il vient de finir sa quatrième année, comme moi. Mais lui, il ira beaucoup plus loin, il est très brillant.

– Pendant combien de temps ?

– Trois ans. Quatre… Oh, papa, maman, nous nous aimons.

Les Barbarin grimaçaient. Moïsette se réjouissait de leur désarroi car elle les entendait penser : « Quoi ! Moïsette nous ramène le meilleur parti, alors que notre Lily, sur laquelle nous avons tant investi, s'entiche d'un orphelin boursier à l'avenir incertain… Si l'on avait pu le présager… »

Moïsette les laissa patauger dans le malaise puis lança avec allégresse :

– Et si on se mariait le même jour ?

– Pardon ?

– Quoi ?

Faisant la sourde oreille, les parents la fixaient sans comprendre.

– Je propose que Lily et moi, nous épousions nos fiancés le même jour.

Lily, interloquée, considéra sa sœur. Moïsette se jeta contre elle et la serra dans ses bras.

– Cela me plairait tellement, Lily. Tu te rends compte ? Nées le même jour, mariées le même jour ! Sublime, non ?

Lily fondit en larmes, reconnaissante : Moïsette l'aidait à imposer Paul à ses parents récalcitrants, Moïsette se battait pour elle.

– Je t'en prie, Lily, faisons mariage commun !

– Oh, ça me comblerait...

Touchés par l'émotion des jumelles, les parents haussèrent les épaules, ravalèrent leurs exigences et, en maugréant, se résignèrent à obéir.

Le double mariage fut un événement spectaculaire qui satisfit pleinement la cruauté de Moïsette.

La différence entre les deux couples éclata aux yeux de chacun : cinq cents invités pour Moïsette et Xavier Forêt, une trentaine pour Lily et Paul Denis. Des cadeaux fastueux – argenterie, cristallerie, porcelaine, meubles de style – pour les premiers, choyés par tous les industriels en commerce avec les Forêt ; des livres et des disques offerts par leurs condisciples pour les seconds.

Si les mariées portaient des robes de standing équivalent – payées par les parents Barbarin –, Moïsette ruisselait de bijoux et s'était entourée de demoiselles d'honneur snobs et excessivement parées.

« Faisons mariage commun ! » avait imploré Moïsette.

De fait, elle tentait de mettre les deux mariages à un niveau identique, prêtant la limousine à sa sœur, remerciant *urbi et orbi* les Forêt d'avoir loué ce château pour eux quatre, incluant son aînée dans toutes les circonstances luxueuses. Moïsette se conduisait de façon généreuse sans aucun effort. En fait, sa magnanimité rassasiait sa mesquinerie : plus elle partageait sa bonne fortune avec Lily, plus elle jouissait de sa supériorité. Comblée, c'est donc sincèrement qu'elle fondit en larmes, le soir, devant l'énorme orchestre de vrais musiciens qui assurait le bal, bien qu'elle plongeât aussitôt dans les bras de son beau-père, histoire de désigner aux hôtes celui qui avait financé ce supplément dispendieux.

Cela ne flétrit pas la journée de Lily tant elle soupçonnait peu la perfidie de sa jumelle. Elle rayonna au bras de Paul, lequel, plus grand que son frac de location, n'impressionna personne, sinon par sa taille. Tandis que, le lendemain, Moïsette partait en voyage de noces accomplir un safari en Afrique du Sud, Lily et Paul se contentèrent de rester à Saint-Sorlin, dans la maison d'enfance, jouant aux cartes avec les parents, se promenant main dans la main aux rives du Rhône, dégustant des tartes au sucre sur les remparts de Pérouges, la coquette cité médiévale qui avait traversé miraculeusement les siècles.

La suite attesta la justesse du plan élaboré par Moïsette. Les couples entamèrent la vie conjugale, Paul et Lily dans un appartement minuscule, à Bron, afin que Paul finisse ses études, pendant que Lily occupait un poste de juriste débutante ; Moïsette et Xavier dans une des propriétés Forêt, à Montalieu, un manoir de pierre grise et de brique rose construit au XIXe siècle par un magnat féru de Versailles.

Moïsette triomphait. Fière de sa réussite, elle n'hésitait jamais à étaler ses privilèges, narrait à loisir les réceptions auxquelles on la conviait, bref assumait avec une conscience gourmande son rôle de nouveau riche. Souvent, dans ce tir qui visait sa sœur, elle ajoutait une flèche, celle de la compassion :

– Alors, la vie à Bron ? Pas trop rude ?

Elle se délectait de la gêne de Lily et s'enquérait sans fin des difficultés que le ménage endurait.

– Penses-tu que Paul aura bientôt bouclé son cursus ?

Elle soupirait bruyamment.

– Terrible d'étudier autant et de vivre aussi peu. Non, vraiment, je le répète à Xavier : vous avez du mérite.

Lily devinait parfois que Moïsette prenait plaisir à s'apitoyer mais elle se reprochait cette pensée et, confuse, répondait gentiment à sa sœur.

Les années coulaient.

Moïsette aimait tout de son mariage, sauf son mari.

Certes, elle n'avait jamais entretenu d'illusions concernant Xavier, l'ayant choisi comme on sélectionne un véhicule, avec sang-froid et discernement ; lucide quant à son indigence de caractère, avertie dès le départ qu'il n'affichait qu'un physique médiocre menacé par l'empâtement, elle n'avait pas eu la fâcheuse surprise d'inventorier des défauts supplémentaires ; puisqu'elle ne s'était trompée ni sur sa famille ni sur sa fortune, elle n'éprouvait aucun regret. Cependant elle s'ennuyait. Pas de la vie qu'ils menaient, mais de l'obligation de mener cette vie avec lui. Elle traînait un boulet attaché à son pied. Pourquoi ne s'absentait-il pas ?

Fréquemment, elle se grondait : « Apaise-toi, Moïsette ! Un autre bonhomme te raserait autant, mais te gâterait moins. » Tout compte fait, elle validait sa décision passée et se rabâchait qu'une tâche comprend toujours du plaisant et du déplaisant, que l'effort escorte l'agrément. Son mariage lui prodiguait des ravissements – l'argent, la surface sociale – et lui coûtait du travail – la partie intime. À l'abri des regards, elle se livrait à ses devoirs d'épouse ainsi qu'un salarié contraint. « Ouf, personne ne sait que je me force ! » les ébats avec son mari l'assommaient tellement qu'elle ne rêvait même pas d'adultère. Quand il la caressait, elle cachait ses réticences, se prêtait à lui, souriait, rougissait, feignait, feulait. Adroite, elle exécutait les gestes idoines afin qu'il jouît très vite et se crût un héros. Une fois l'affaire expédiée, contente du répit, elle ne songeait surtout pas à remettre ça, ni avec lui ni avec un autre. La frustration sexuelle la rendait absolument fidèle.

Les deux sœurs atteignaient leur trentième année et aucune n'avait d'enfant.

Lily en avait exclu la possibilité tant que Paul n'aurait pas achevé ses études. Or celui-ci s'était désormais élevé parmi les fiscalistes internationaux recherchés, les contrats affluaient, importants, juteux, et leur duo recevait le bénéfice des années périlleuses, l'aisance succédant à la gêne. Dans un appartement spacieux de la presqu'île lyonnaise, ils travaillaient copieusement, mais s'octroyaient les voyages auxquels ils avaient renoncé auparavant, se retrouvaient le soir en amoureux dans de bons restaurants, partaient, les samedis et dimanches, skier en montagne ou nager en Méditerranée.

Le moment convenait enfin : Lily cessa de prendre la pilule.

Sans concertation, Moïsette s'abstint de même, sentant qu'elle consoliderait son union par des enfants.

Quand les deux sœurs se l'avouèrent, elles en rirent et, renouant avec la complicité des premières années, se tinrent au courant de ce qui se produisait dans leur ventre.

Hélas, leurs tentatives échouaient. Puisque des amies

leur assuraient qu'après des années de contraception, la matrice traînait à redevenir fertile, elles patientèrent.

Curieusement, leur rapprochement s'opérait aussi sur le plan social. À mesure que Lily et Paul prospéraient, Moïsette et Xavier s'appauvrissaient. Des revers en Bourse, des ventes inopportunes, des transactions sanctionnées avaient érodé la fortune des Forêt, les obligeant à réduire les montants qu'ils allouaient à leurs cinq enfants. Xavier, au lieu d'alléger son train de vie, dilapida autant, sinon plus, ce qui l'obligea à contracter des emprunts. Son endettement atteignit un tel palier qu'il mégota sur les cadeaux, les robes et les loisirs qu'il offrait à Moïsette, laquelle s'en offusqua car l'aisance financière fondait l'attachement qu'elle témoignait à son mari.

Lily, triomphante, annonça un matin à Paul qu'elle était enceinte. Une heure plus tard, elle l'apprenait au téléphone à Moïsette qui simula la gaîté, mais s'estima lésée. Voilà que l'aînée de trente minutes prenait le dessus ! Le cycle infernal repartait.

Furieuse, elle éprouva pourtant un soulagement : si sa parfaite jumelle pouvait tomber enceinte, elle aussi ! Physiologiquement, le problème ne dépendait donc pas d'elle, mais de Xavier.

Une semaine plus tard, elle trompait son mari avec un employé, le chauffeur, trentenaire comme elle, bien de sa personne comme elle, marié comme elle – ne pas s'attacher : l'adultère demeure intègre, purement sexuel, sans aucun sentiment ! Commettait-elle une faute ? Non, elle accomplissait son devoir : fournir une progéniture à la famille Forêt. Elle s'en convainquit tant qu'elle conçut presque de la gêne à trémuler de plaisir entre les bras secs et musclés de son amant.

Au bout de trois mois, Lily perdit le fœtus. La nouvelle conforta Moïsette : elle distancerait sa sœur. Le chauffeur fut mis à haute contribution et elle céda de temps en temps à Xavier. « D'abord, il doit croire que l'enfant vient de lui. Ensuite, peut-être sera-t-il de lui… » Plus elle avançait, plus elle se persuadait d'agir correctement.

Une fois guérie de son drame, bien soutenue par Paul, Lily consulta un spécialiste. Le professeur Norpois examina le couple, procéda à des tests, corrobora les résultats, puis leur annonça qu'ils ne concevraient pas car Lily se révélait incapable de mener une grossesse à terme.

Lily et Paul s'attristèrent fort, eux auxquels la vie avait souri jusqu'ici, puis cette mélancolie les rapprocha. Tel le lierre qui enlace Tristan et Yseult dans la tombe pour l'éternité, leur stérilité les liait, signe de leur destin, engagement à ne jamais se séparer. Dans sa sagesse, la nature leur avait permis de se rencontrer et de s'aimer.

Néanmoins, une pensée hantait Lily : prévenir sa sœur. La même impossibilité affectait sa jumelle. Elle craignait ce moment d'aveu, sachant la peine qu'il infligeait, et elle aurait voulu l'éviter à sa sœur.

Elle attendit quelques mois puis se rendit chez Moïsette.

Les nerfs à fleur de peau, celle-ci avait renvoyé le chauffeur qui ne s'était pas montré plus fructueux que Xavier et avait entamé une liaison avec son kinésithérapeute, un quadragénaire marié qui élevait déjà quatre enfants. Elle cacha ces bouleversements à Lily et s'installa pour prendre le thé.

– Du thé blanc, tu connais ? Xavier le commande à Tokyo. C'est le plus coûteux des exorbitants. Le brin au prix du caviar. Goûte, tu adoreras.

Il ne lui restait plus que ce genre de détails pour manifester sa supériorité sur Lily. Aussi s'accrochait-elle à ces futilités comme un naufragé à une poutre.

– Moïsette, j'aurais préféré ne jamais te dire ce que je vais te dire.

À sa voix chancelante, à ses narines pincées par la nervosité, au bleuté de ses lèvres, Moïsette perçut que sa sœur endurait un calvaire. Elle s'assit, attentive, espérant que Lily annoncerait un malheur réjouissant. Paul la quittait ? Paul avait une maîtresse ? Un scandale ruinait son cabinet ? Elle salivait à l'avance...

– Oui ?

Lily chercha du courage autour d'elle, n'en trouva pas, et se pencha en avant.

– Je suis stérile.

Moïsette, face à son miroir de sœur, saisit aussitôt la gravité de ses paroles. Toutefois, pour s'accorder quelques secondes de répit, elle pratiqua le déni et feignit de ne pas comprendre :

– Tu... ?

– Je suis stérile.

– Ah...

– J'ai fait tous les examens.

– Oh...

– Donc...

– Donc ?

– Donc, toi aussi, ma Moïsette.

Voilà, la sentence venait de tomber. Moïsette devait l'affronter. Elle ressentit le vide en elle, il lui sembla que sa chair s'effondrait, rongée par un néant intérieur. Durant une seconde, elle espéra perdre conscience.

Lily l'observait, les paupières fixes, le regard miséricordieux, les mains tendues vers elle, prête à la soutenir.

Moïsette vacilla, constata avec dépit qu'elle ne s'évanouissait pas, imagina un instant se faire consoler par Lily, puis soudain, en la voyant plus tendre et affectueuse qu'une pietà, elle s'emplit de fiel. Quoi ? Encore elle ! Toutes les calamités arrivaient par cet oiseau de malheur !

– Sors !

– Quoi ?

Moïsette se dressa, frémissante, rubiconde, la bouche

déformée par l'irritation, et indiqua la porte d'un doigt raide.

– Dehors ! Ne remets plus jamais les pieds ici. Jamais, tu m'entends, jamais !

– Mais, Moïsette, je ne parle pas par méchanceté... Je connais la peine que cela cause, je l'ai subie ! Je te dis ça pour que tu t'organises, pour que tu en informes Xavier, pour que...

– Hors d'ici !

– Mais...

– Toi c'est toi, et moi c'est moi.

– Enfin...

– Aucun rapport.

Lily voulut protester, la convaincre de sa bonne foi, lui offrir une accolade consolatrice, mais Moïsette, d'abord figée, saisit les bibelots et les lança sur sa sœur.

Lily s'enfuit.

– Bon débarras ! rugit Moïsette.

Dans l'heure qui suivit, elle convoqua le kinésithérapeute, le força à coucher avec elle et, à sa grande surprise, connut l'orgasme le plus puissant de sa vie.

*

Fabien Gerbier bouillait. Trapu, massif, vêtu de velours rugueux, la tête carrée et solide fichée sur les épaules, les yeux bronze enfoncés sous les arcades de sourcils épineux, il regardait les magistrats sans cacher sa désapprobation, tel un marin qui contemple la pluie en ne craignant pas d'être mouillé par elle.

Le spectacle de ce procès le dégoûtait. Contaminée par ses minauderies de vieille dame honorable, la cour prenait des gants pour interroger Lily Barbarin, y compris l'avocat général ; chaque fois qu'on lui posait une question, on l'arrondissait, on donnait à saisir que la brutalité de la justice l'exigeait mais qu'on n'y consentait que du bout des lèvres. On signifiait bien à la prévenue qu'on ne l'incriminait pas et qu'on se prêtait à une parodie d'audience dont l'issue – la relaxe – était déjà connue.

– Mais qu'ils servent le thé et les petits gâteaux, pendant qu'ils y sont, grommela Fabien Gerbier.

Un peu déconcertés par tant d'usages, les six spectateurs avaient fini par se désintéresser et la plupart dormaient.

Quelques habitants du village vinrent à la barre, saluant aussi bas Lily que la cour, et rappelèrent la complicité qui liait depuis toujours les deux sœurs. Ils évoquèrent aussi les derniers mois, rapportèrent que Lily avait hurlé en découvrant le cadavre, qu'on avait dû l'hospitaliser – comme naguère à la mort de son époux –, qu'elle pleurait à chaudes larmes lorsqu'elle avait confié les vêtements de Moïsette aux pauvres, et qu'elle se rendait chaque mercredi sur la tombe de sa sœur, à Montalieu, où elle se recueillait longuement.

Fabien savait tout cela, ayant même suivi Lily au cimetière, frappé par cette vénération hebdomadaire.

On l'avait récusé comme témoin. Qu'avait-il à dire ? Rien, selon les avocats des deux parties. Premier amant de Lily, soixante ans auparavant, il ne lui avait presque plus adressé la parole depuis lors. Implanté à Saint-Sorlin sur le tard, il avait ouvert une échoppe de cordonnerie, travail qu'il exécutait plus par passion que par nécessité, sa retraite de cadre commercial garantissant sa subsistance. Comme les autres villageois, il avait vu les deux sœurs âgées vivre ensemble dans la maison de leurs défunts parents. Comme les autres villageois, il avait remarqué que Moïsette martyrisait Lily, l'insultait, l'agonissait de récriminations, lui imposait en public des situations gênantes ; mais, comme tous les autres villageois, il avait relevé la résignation, la clémence, la charité de Lily. Elle semblait n'avoir jamais cessé d'aimer son odieuse sœur et, au nom de cet amour, elle lui pardonnait chaque fois.

« Et ils en restent là, tous ! Ils refusent de croire qu'elle s'est lassée et s'est vengée. »

Fabien plaçait son espoir en l'expert. Celui-ci confirmerait que Moïsette n'était pas tombée incidemment au bout du jardin, que Lily l'avait précipitée.

L'expert déclina ses titres et répondit aux questions du juge. Il décrivit le puits au fond du jardin, chez les Barbarin, un puits qui, d'après les documents, datait du XVIIe siècle.

– Mentionne-t-on, en trois siècles, quelqu'un qui y serait tombé ?

– Non.

– Ce puits présente-t-il un danger ?

– Dangereux, je ne sais. Profond, c'est une évidence. La nappe phréatique n'affleure qu'à dix mètres en dessous. En plus, l'eau manquait au moment des faits. Un trou si profond devient mortel en cas de chute.

– Peut-on y pousser quelqu'un ?

– Très facilement, car la margelle ne monte pas haut. Elle mesure soixante centimètres. Juste au-dessus des genoux. On s'assied pour tirer l'eau.

– Ce qui signifie que celui qui, assis, perd l'équilibre tombe aisément dans le puits.

– Exact.

L'avocat général se cabra et pointa un doigt accusateur au plafond.

– Ce qui signifie, monsieur le juge, que celui ou celle qu'on bouscule tombe dans le puits.

– Aussi, concéda l'expert.

– Ce puits procure le moyen idéal de se débarrasser d'un quidam…

– C'est vrai !

– … et permet de maquiller un crime en accident.

Fabien Gerbier reprit espoir. L'avocat général se réveillait, il endossait enfin son rôle, il accusait, il instruisait à charge.

L'avocat général poursuivit :

– Simple donc de camoufler un meurtre en chute fortuite. À condition, naturellement, d'avoir un mobile... Ce que nous n'avons pas discerné pour l'instant et que vous, monsieur l'expert, ne nous apportez pas non plus.

L'expert approuva en souriant. Les magistrats, l'air convenu, jetèrent un œil bienveillant à Lily, au cas où celle-ci se serait inquiétée quelques secondes.

Fabien Gerbier contracta ses poings : la complaisance s'accroissait. Ils avaient décrété Lily à l'avance « non coupable ». À bout de nerfs, il se dressa et interpella l'assemblée :

– Comment expliquez-vous que Moïsette, qui connaissait ce redoutable puits depuis l'enfance, ne se soit pas méfiée ?

Lily jeta un œil d'oiseau inquiet sur Fabien, puis ses prunelles lancèrent une lumière froide, presque assassine, qui abandonnait la sérénité d'une innocente. Il l'aperçut nettement.

– Regardez sa tête ! cria-t-il. Vous l'avez vue comme moi : elle a quitté son rôle de gentille.

La cour se tourna vers Lily Barbarin, retrouva la vieille dame de bon aloi, honorable, à laquelle elle était accoutumée, puis le juge s'exclama avec courroux :

– Qui est ce monsieur ? Sortez-le ! On ne dérange pas le travail de la cour.

Fabien Gerbier comprit qu'il avait échoué. Son tempérament sanguin lui avait enlevé toute crédibilité, on ne l'écouterait plus.

On se jeta sur lui, il résista par réflexe puis se laissa expulser.

Devenait-il fou ? Lorsque, tracté par les huissiers, il passa devant le banc de Lily Barbarin, il entrevit un rictus narquois sur ses lèvres.

*

Moïsette se montra intraitable : depuis l'entretien où sa jumelle lui avait révélé sa stérilité probable, elle refusait de la rencontrer, même chez ses parents. La brouille affichait un caractère officiel.

Par délicatesse, Lily ne relata à personne l'altercation qui avait occasionné leur rupture, persuadée que la douleur seule rendait sa sœur maladroite, injuste, intransigeante. Elle aurait voulu l'enlacer, l'apaiser, lui certifier qu'elle pourrait s'épanouir sans mettre au monde des enfants, perspective dont elle et Paul s'étaient convaincus, mais elle respecta son excès de souffrance et patienta.

Moïsette vivait avec une sonnette d'alarme greffée au cerveau. Sur ses gardes, tel un fauve qui scrute dix fois autour de lui pour s'abreuver, elle frissonnait dès qu'un regard s'attardait sur elle, craignait qu'on détectât son secret, reniflait les individus qui s'approchaient d'elle, les femmes surtout, développant un odorat filtrant qui écartait les esprits subtils. Auprès des hommes, sa sexualité s'exacerbait, secouée par la peur, ravivée par l'angoisse, et elle multipliait les amants avec une frénésie qui relevait plus du désespoir que du désir.

Uniquement occupée d'elle, Moïsette ne remarqua pas que son mari voyageait davantage, s'inscrivait à des séminaires – lui, le rentier oisif – et la serrait moins souvent entre ses bras. Elle le méprisait tant qu'elle croyait le posséder.

Un coup de téléphone lui apporta un démenti. Une femme appela à la maison d'un ton leste et roucoulant, puis raccrocha sitôt qu'elle entendit la voix de Moïsette. Moïsette composa le numéro et, après son « Allô », perçut un silence paniqué.

Elle faillit briser le combiné. « Non seulement il a pris une maîtresse, songea-t-elle, mais une greluche stupide pas même fichue de feindre l'erreur ! »

Les jours qui suivirent, elle examina ce mari auquel elle prêtait peu attention. Il avait maigri, changé de parfum, de style vestimentaire et sifflotait toute la journée. L'évidence la consterna : il était heureux !

Elle se contempla à son tour dans un miroir : elle avait changé aussi. Ses traits se froissaient, des plis d'amertume marquaient les coins de sa bouche, ses sourcils s'étaient rapprochés en se combattant et les iris clairs de ses yeux rejetaient la lumière au lieu de l'accueillir. En palpant son cou, sa poitrine, ses hanches, elle constata, à la peau fine et aux os saillants, que son corps avait séché, la chair absorbée par une fureur intime.

Face à ce désastre, elle trouva immédiatement son

rôle : victime. Elle occupa la semaine à recueillir des preuves que Xavier la cocufiait, effaça celles qui permettaient de repérer ses fautes, engagea un détective privé durant un mois, puis, armée du dossier, larmes aux paupières, déboucha chez ses parents pour claironner son malheur de femme bafouée.

Les Barbarin réagirent comme elle s'y attendait : ils firent chorus quand elle prononça le mot « divorce ».

Le lendemain, elle apprit à Xavier ce qu'elle savait. Peu sûre d'elle au début car elle se demandait s'il soupçonnait ses infidélités, elle vit l'horizon se dégager lorsqu'elle eut vérifié qu'il les ignorait, et exigea la séparation. « Ça va te coûter cher, mon coco ! »

Les avocats saisirent le dossier et le divorce évolua en guerre commerciale.

Au cours des négociations, Lily émit le désir – par le biais des parents – d'exprimer sa commisération à sa sœur. Redevenue centre du monde, reine des événements, Moïsette y condescendit et les jumelles se téléphonèrent.

– Je suis navrée pour toi, dit Lily, et si déçue par Xavier.

– Ce n'est qu'un homme.

– Ne mets pas tous les hommes dans le même panier.

– Ils sont gouvernés par leur queue.

– Ma pauvre Moïsette, t'infliger ça, à toi qui l'aimais tant.

Moïsette retint un rire : d'où sa sœur tirait-elle une

idée pareille ? Ah oui, d'elle-même : puisqu'elle aimait son Paul, elle l'avait imaginée amoureuse de Xavier. Décidément, Lily ne comprenait rien, elle projetait.

– Garde confiance en toi, reprit Lily. Tu plais, tu séduis. Si celui-là t'a délaissée, d'autres hommes te regarderont.

« Tu parles ! » songea Moïsette, qui s'amusait de cette conversation.

– Maintenant, je vais te poser une question délicate.

– Oui ?

– Est-ce que tu lui pardonnerais ?

Moïsette ressentit un vide en elle. Elle n'avait jamais pensé à cela. Le silence régna. La voix oppressée de Lily s'alerta :

– Allô ? Allô ?

Moïsette prit son temps.

– Mm ?

– Ah… tu m'as entendue ?

– Je t'ai entendue.

– Moïsette, tu pourrais lui pardonner… son incartade. S'il ne récidive pas…

– Il m'a trahie.

– Oui, mais…

– Il m'a menti.

– Oui, mais…

– Il a piétiné nos promesses.

– Oui, mais…

– Souviens-toi de ce que nous avons juré à l'église, côte à côte : fidélité !

– L'erreur est humaine, Moïsette.

– Humaine, pas conjugale !

– Si tu l'aimes, Moïsette, si tu l'aimes… tu peux lui pardonner.

Moïsette frappa le sol avec ses pieds tandis que ses doigts se crispaient jusqu'à jaunir sur l'appareil. « Ça recommence. Elle m'explique que je n'ai pas de cœur… » Elle raccrocha.

Le divorce accumula les déconvenues. Moïsette découvrit d'abord que son mari frôlait la faillite – même le manoir était hypothéqué. Ensuite, le chauffeur-amant qu'elle avait congédié – comme amant et comme chauffeur – se vengea en la mouchardant auprès de Xavier. Puisqu'elle rompait plus brutalement avec les hommes que lorsqu'elle officiait à l'auberge des Truites, l'opulence l'ayant dotée d'arrogance, elle craignit que cette indiscrétion n'en déclenchât d'autres – ce qui arriva. Une ribambelle d'amants témoignèrent. Démasquée, tyrannisée par la belle-famille qui avait toujours battu froid à l'intruse, au terme de péripéties humiliantes, elle perdit son couple, ses biens, son train de vie ; de surcroît, n'élevant aucun enfant, elle n'obtint qu'une misérable pension alimentaire, fort provisoire.

Loin de s'estimer coupable, elle se crut victime et,

s'apitoyant plus que jamais sur son propre cas, elle revint vivre chez ses parents à Saint-Sorlin. Là, elle accepta de revoir Lily, laquelle la plaignait d'autant plus franchement qu'elle ignorait – ainsi que la famille – les fornications qui avaient coûté à Moïsette son mariage et son divorce.

Moïsette chercha mollement un emploi mais se mit à jouer avec zèle. Refusant les jeux de pronostics – tiercé, paris sportifs – qui requéraient des informations ou les jeux de cartes qui exigeaient de la stratégie, elle choisit d'affronter le hasard. À des équipes, des chevaux, des adversaires, elle préféra l'Inconnu, le Mystère, l'Imprévisible. Puisqu'elle disposait d'un budget réduit, elle ne franchit pas la porte des casinos mais s'habitua à fréquenter le magasin de presse et tabac où elle achetait des tickets de loto et des cartes à gratter. La chance qui venait de la déserter, elle la sollicitait de nouveau, friande de cette attente qui décuple le plaisir.

Près de Lyon, Lily et Paul avaient fait construire une villa moderne pleine de vitres donnant sur les arbres de leur vaste jardin. Lily travaillait peu, Paul beaucoup. Malgré l'âge – la quarantaine approchait –, ils ressemblaient à des étudiants amoureux : au cours de promenades en ville ou à la campagne, le long héron mal fagoté adorait presser la tourterelle Lily contre lui et, en se penchant, picorer des baisers sur son front. Ces deux-là riaient rien qu'à se regarder.

Moïsette tolérait le couple de sa sœur. En fait, elle

jugeait Paul si carnavalesque qu'elle ne se fatiguait pas à l'abhorrer. Chaque fois qu'elle le détaillait, elle se demandait comment l'on pouvait désirer cette carcasse étroite et interminable : autant coucher avec un sac de golf. Pour la paix de son âme, elle ne couvait aucune jalousie. Ainsi qu'elle l'avait affirmé à une camarade en désignant Paul : « Entre ça et rien, je penche pour rien. »

Paul dut s'établir à Washington un mois. L'affaire qui l'y menait patinait et le séjour se prolongea. En manque de lui, Lily se rendit quelques jours à la capitale des États-Unis, mais en rentra mal à l'aise.

Ce dimanche-là, elle s'en ouvrit à sa sœur qu'elle avait rejointe à Saint-Sorlin :

– J'ai eu l'impression que ma présence lui pesait.

– Il avait trop turbiné, murmura Moïsette, indifférente à l'égard de Paul.

– Enfin, quand même...

Lily insista, troublée :

– Était-ce parce que nous avions été privés l'un de l'autre pendant deux mois, je n'ai pas retrouvé le Paul que je connaissais.

Soudain, les yeux de Moïsette brillèrent, apercevant une proie.

– A-t-il changé de parfum ?

– Quoi ? Non... je ne sais pas... Je... Pourquoi dis-tu ça ?

Moïsette rusa :

– Comme tu me rapportes que tu n'as pas éprouvé

tes sensations habituelles, n'aurait-il pas changé de parfum… ? Cela aurait suffi à te déstabiliser, non ?

Lily se gratta le coude.

– Tu as raison. Oui ! Il a changé de parfum…

Elle s'esclaffa.

– Merci, Moïsette. Ce n'était donc que cela : il a changé de parfum ! Oh, tu me réconfortes.

Moïsette brisa son élan en faisant la moue :

– Tt tt. Moi, ça ne me rassure pas. Quand un homme change de parfum…

– Oui ?

– Quand un homme change de parfum… généralement…

– Quoi ?

– … il change de femme.

Lily écarquilla les paupières. Moïsette secoua la tête plusieurs fois et lâcha d'une voix déprimée :

– Xavier avait changé de parfum à l'époque de sa maîtresse.

Lily se redressa, fébrile.

– Non, pas lui ! Pas Paul ! Pas mon Paul !

Moïsette leva les yeux puis prétendit se raviser :

– Pas Paul. Pas ton Paul. Excuse-moi.

Lily ricana, histoire de se rasséréner, puis, nerveuse, brandit un prétexte pour se retirer. Moïsette soupira de plaisir : elle avait planté le doute en Lily.

Quinze jours plus tard, Lily partait à Washington où elle entreprit de mener un dialogue authentique avec

Paul. Il avoua avoir subi le charme d'une avocate new-yorkaise, laquelle, récemment divorcée, n'avait pas hésité, un soir trop arrosé d'alcool, à prendre les devants et... Il jura que c'était une passade, une erreur, qu'il regrettait déjà, qu'il ne recommencerait jamais...

Lily rentra en France une semaine avant lui. Attirée par l'odeur du sang, Moïsette lui rendit visite à Lyon.

Lorsque Lily ouvrit la porte, son visage sévère, ses paupières rougies, son front fâché, sa respiration millimétrée racontaient mieux que les mots ce qui s'était passé.

– Ne dis rien, j'ai compris.

Lily opina de la tête. Moïsette explosa :

– Ah, l'ordure ! Tous des chameaux !

Elles gagnèrent le salon. Avec une compassion griffue, Moïsette enferma sa sœur dans ses bras et susurra « Ma pauvre chérie ». Au creux du canapé, Lily fondit en larmes et Moïsette, sincère dans son rôle de consolatrice, goûta chaque seconde de ce moment avec volupté.

– Ma Lily, je voudrais te conseiller un bon avocat, mais je ne te ferais pas un cadeau en te recommandant le mien, une buse. En revanche, on m'a indiqué un certain maître Blasier. Si tu le souhaites, j'appelle ma copine Clotilde...

Lily l'arrêta, essuya ses joues et bredouilla :

– Ne te donne pas cette peine.

– Ah ! Tu as celui qu'il faut.

– Je n'ai rien du tout, non. Je ne romps pas.

– Tu… ?

– Je ne divorcerai pas.

– Quoi ?

– Je pardonne à Paul. Oh, j'ai peut-être tort, mais je lui pardonne.

Moïsette bondit dans la pièce. Elle qui se réjouissait que sa sœur souffrît enfin – comme elle –, que sa sœur allât enfin au-devant de problèmes matériels – comme elle –, voilà qu'on lui retirait le sucre de la bouche. Elle entama une argumentation véhémente, où s'entrechoquaient dignité, honnêteté, honneur, observance des engagements, temps qui favorise les hommes, etc. Elle exhortait sa sœur à plaquer Paul à jamais.

Lily se contenta de répondre :

– Si je l'aime, je lui pardonne.

– Si tu lui pardonnes, tu ne t'aimes pas, tu ne te respectes pas.

– Mais c'est bien ça, aimer. Vouloir que l'autre soit heureux. Faire passer l'autre avant soi.

– Divorce !

– Non. Je ne commettrai pas la même erreur que toi.

Moïsette quitta la maison sans se retourner.

*

L'avocat de Lily voltigeait dans les sphères de la rhétorique. Enflant sa voix autant que ses phrases, il jonglait avec les périodes, filait les métaphores, accrochait les hyperboles aux synecdoques, osait l'apitoiement, la vitupération, l'épouvante, tragique et efficace comme si sa cliente risquait sa vie. Or la cour savait que Lily Barbarin n'aurait pas dû être inculpée. Quant à la maigreur de l'auditoire – six imperméables endormis –, elle n'appelait pas une telle virtuosité. Pourtant, soit par habitude, soit pour se rassurer, maître Morbier des Jonquilles, acrobate du verbe, gymnaste de l'argumentation, offrait un festival de ses talents :

– Devant vous ne se tient pas une accusée, mais une offensée ! Oui, je le souligne : une offensée. Offensée par la folie des hypothèses et des soupçons délirants. Quelqu'un a-t-il vu Lily Barbarin culbuter sa sœur dans le puits ? Aucun témoin. C'est elle qui, désespérant de son absence, l'a cherchée partout durant des heures avant d'apercevoir son cadavre. Quelqu'un a-t-il avancé un motif pour lequel elle aurait perpétré ce meurtre ? L'argent ? Elle dispose d'une petite fortune qu'elle partage avec sa sœur depuis des décennies en lui permettant de couler une existence décente et n'héritera de rien. La jalousie ? Leurs maris sont morts depuis belle lurette. Le tempérament ? Lily Barbarin paraît une personne douce et altruiste depuis presque un siècle. Le ressentiment ? Lily Barbarin, au regard de la population et des proches, a continuellement manifesté le plus vif amour à sa sœur. Alors, sur quoi se fonde la suspicion ? Quoi ? Un argument plus ténu qu'une aile de mouche : Moïsette connaissait l'insécurité de cette margelle depuis sa naissance et n'aurait donc pas dû tomber. Vraiment ? L'accusation reste mince, ridiculement mince, outrageusement mince, malhonnêtement mince. À quatre-vingts ans, vous l'apprendrai-je, le corps s'amenuise… Eh oui, il ne jouit plus des réflexes qui ont fait sa jeunesse, il n'a plus les muscles qui ont constitué sa force, il n'escalade plus les pentes qu'il a toujours gravies, il rate des marches qu'il enjambait, il chute là où il ne chutait pas autrefois. Attention, je vais vous livrer un scoop : il lui arrive même de mourir, lui qui ne mourut jamais avant !

La cour accueillit la boutade avec un ronronnement de plaisir.

– Moïsette Barbarin n'a pas contrôlé son équilibre. C'est simple, c'est bête, c'est triste : rien d'autre ! Aujourd'hui, Lily Barbarin, après avoir subi le traumatisme de découvrir son cadavre, pleure cette sœur qu'elle chérit depuis le premier jour dans le ventre maternel. Notre procès l'offense, notre procès égratigne l'humanité, notre procès mortifie la justice. J'ai honte, messieurs, honte. En quarante ans de vie judiciaire, je n'ai jamais éprouvé une telle honte. Quelle honte ? Pas celle de défendre Lily Barbarin, non, cela, c'est mon honneur. J'ai honte d'être *obligé* de la défendre, contraint par des soupçons ignominieux. Alors, je vous en conjure, reconnaissez l'innocence, prononcez un non-lieu et délivrez-moi de ma honte.

Il se cogna la poitrine d'une façon si mâle que le coup résonna largement. Si un lion portait une robe noire d'avocat en se frappant le poitrail, il aurait ressemblé à maître Morbier des Jonquilles.

*

L'histoire donna raison à Lily. Pardonné, Paul lui revint, aussi amoureux que redevable, et leur couple fut cimenté par cette fidélité qui avait résisté aux épreuves.

Ils vécurent ensemble jusqu'à la mort de Paul. Pendant ce temps, Moïsette avait renoncé à attraper un compagnon et persistait à placer ses élans passionnels dans le jeu. Avec la prudence calculatrice qui la caractérisait, elle ne se mettait pas en péril financier, réduisant ses investissements au loto et aux cartes à gratter. Chaque semaine, elle misait, le cœur battant durant les heures précédant le tirage, au bord de l'implosion pendant, horriblement désappointée après. Le lendemain, elle se levait pleine d'allant : la prochaine serait la bonne. Même si elle gagnait rarement, elle ne renonçait jamais à l'espoir d'emporter le gros lot.

« Après tout, songeait-elle, il y avait peu de chances que j'aie une jumelle – 1 chance sur 250 – et j'ai eu une jumelle. Alors, j'ai des chances de gagner au loto – 1 chance sur 19 068 840 –, surtout si je joue beaucoup. » De façon fétichiste, elle conservait chaque ticket de loto dans un sac, retournant souvent dans ses archives pour savoir si, à un autre moment, elle n'aurait pas détenu la combinaison gagnante de la semaine. Quoique vaine et fastidieuse, cette activité l'occupait férocement.

Lorsque, à l'orée de la soixantaine, on apprit à Lily que son mari venait de succomber à un infarctus sur un court de tennis, elle s'effondra. On l'hospitalisa, son pronostic vital fut engagé, et l'on craignit qu'elle ne suivît son époux dans la tombe.

Insolite enterrement que celui de Paul Denis ! Le ban et l'arrière-ban de l'industrie, de la finance, du commerce lyonnais s'y pressaient tant Paul avait défendu de dossiers et gagné d'affaires. Cinq cents personnes s'y recueillaient, sauf sa veuve, intubée en service de réanimation, tandis que son parfait sosie se tenait devant le cercueil. Avec le temps, la fatigue, les rides, les physiques des jumelles s'étaient rejoints, retrouvant l'unité exemplaire de l'enfance, et il fallut le tact diligent des associés de Paul pour qu'on retînt les spectateurs de présenter leurs condoléances à Moïsette.

Moïsette vivait alors seule dans la grande demeure des parents – disparus dix ans auparavant –, qu'elle peinait à entretenir car son chétif salaire d'employée municipale – ponctionné par les dépenses de jeu – couvrait juste ses besoins. Éberluée de voir sa sœur tout perdre d'un coup – son mari et sa santé –, elle prit le pli de se rendre à l'hôpital pour la veiller. À son chevet, devant ce corps mutique maintenu dans un coma artificiel, elle se sentait vivante, robuste, privilégiée. La faiblesse de sa sœur lui donnait entière satisfaction.

Longtemps entre la vie et la mort, Lily finit par reprendre connaissance, perçut que sa jumelle la soignait, l'en remercia avec effusion dès qu'elle put parler, et, lorsqu'on l'eut remise sur pied, lui proposa de vivre avec elle dans leur foyer d'enfance à sa sortie de l'hôpital.

La perspective enchanta Moïsette. Enfin, elle ne se soucierait plus de l'argent ! Enfin, elle partagerait les tâches ingrates avec quelqu'un ! Enfin, elle ne sursauterait plus d'effroi si un craquement retentissait entre les murs. Enfin, elle ne compterait plus sur la seule cagnotte des loteries : elle jouerait pour le pur plaisir, pas pour l'argent. De surcroît, lorsqu'elle toucha un mot de cette décision aux voisins, ils la complimentèrent unanimement : « Quel admirable dévouement, Moïsette ! Aider votre sœur à se requinquer ! Vous occuper d'une convalescente ! L'empêcher de mourir de solitude ! La sauver de la dépression ! Quelle chance elle a, cette Lily ! Quel bonheur d'être née avec une jumelle ! »

Flattée, Moïsette conclut qu'aux yeux du monde elle s'emparait du beau rôle.

Les deux sœurs s'installèrent. Lily vendit la moderne villa qui lui rappelait sa félicité avec Paul, réorganisa son portefeuille et leur assura le confort matériel.

Le temps de l'idylle semblait commencer.

Hélas, le village, pour les mêmes raisons que jadis, entreprit de dire « les jumelles Barbarin », « Lily » et « l'autre ». En un clin d'œil, Moïsette récupéra ses tics du passé, épingla les détails attestant qu'on faisait plus de cas de Lily que d'elle, recensa les paroles qui l'abaissaient. En représailles, avec une application mesquine, elle s'efforça de pourrir le quotidien de Lily : saler trop ses assiettes, lui réserver le pain rassis, oublier à quels aliments Lily était allergique, éviter ceux qu'elle prisait, égarer son courrier, omettre de lui signaler des appels téléphoniques, casser ses bibelots, garder les cadeaux apportés pour elle, se tromper de programme lorsqu'elle lavait ses vêtements afin qu'ils rétrécissent ou se décolorent, mal les accrocher sur l'étendoir du jardin quand le vent soufflait… Tel un avare qui cherche mille occasions de jouissance en déboursant moins, elle ne passait une bonne journée qu'en multipliant les crasses et les rosseries.

Souveraine, Lily haussait les épaules et pardonnait.

Plus elle pardonnait, plus Moïsette enrageait. « Arrêtera-t-elle un jour de se faire mousser ? Cessera-t-elle de me narguer avec sa clémence ? Oui, oui, on a bien compris qu'elle m'aime ! Mais je lui en ôterai l'envie, moi, je lui ôterai l'envie de me dominer. Quatre-vingts ans que ça dure… Je n'ai jamais demandé à avoir une sœur. Encore moins une sœur jumelle. On m'a agressée à la naissance. Pire, avant même ma naissance. Deux, c'est une de trop. Et elle se pavane constamment devant moi. Toujours plus. Plus aimable. Plus bavarde. Plus intelligente. Plus douée. Plus patiente. Plus gentille. Toujours plus ! Le seul truc qu'elle n'ait pas réussi, c'est plus mignonne : nous sommes pareilles ! Deux, c'est une de trop. Je la pousserai à bout. Je l'acculerai à me haïr. Elle va savoir ce que c'est ! »

*

Le procès était achevé. Lily Barbarin avait quitté le tribunal innocentée.

Fabien Gerbier ne décolérait pas. Quelque chose lui avait échappé – et avait aussi échappé au juge. Invraisemblable que Moïsette ait trébuché près du puits, elle qui le côtoyait depuis l'enfance, elle la circonspecte, la paranoïaque, qui se méfiait de tout et de tout le monde. À l'évidence, elle n'avait pas buté toute seule, par accident : soit Lily l'avait bousculée, soit Lily avait dit quelque chose qui l'avait déstabilisée.

Revenu à Saint-Sorlin, il reçut une illumination. Bien sûr ! Voici la piste qu'il fallait remonter : trouver l'acte de Moïsette qui avait provoqué la violence de Lily. « Quel imbécile ! Pourquoi n'y as-tu pas pensé plus tôt ? Là gît la solution. Moïsette a franchi une limite et Lily l'a châtiée. »

Chaque jour, il réfléchissait à ce qui comptait pour Lily. L'argent ? Elle en avait manqué sans souffrir et en distribuait depuis qu'elle en détenait. La maison ?

En la détériorant, Moïsette s'attaquait à l'enfance, aux parents défunts… Paul Denis ! Voilà le souvenir qu'il ne fallait pas toucher. Paul ! Moïsette avait dû le diffamer, traîner son souvenir dans la boue, prétendre que…

Il s'assit, essoufflé, et se mit à transpirer d'émotion. Évidemment ! Moïsette avait fait avec Paul ce qu'elle avait fait avec lui : elle s'était substituée à sa jumelle et avait couché avec Paul. Et non seulement elle l'avait fait, mais elle le lui avait révélé.

S'essuyant le front avec un immense mouchoir à carreaux, il ignorait s'il défaillait de joie, d'effarement ou de dégoût.

Lily ! Soixante ans plus tôt, elle avait blêmi lorsqu'il lui avait appris, sur son étroit lit d'adolescent, à Lyon, que Moïsette l'avait trahie avec lui, puis elle était rentrée se donner la mort. Cette fois-ci, après avoir reçu le coup, elle avait encore donné la mort, mais à sa sœur. Tel était le bénéfice de la maturité : on s'en prend aux coupables plutôt qu'à soi.

Il étendit les jambes et ralentit sa respiration.

Au fond, il ne la blâmait pas. Elle avait eu raison de se venger. D'ailleurs, elle n'avait pas vengé qu'elle-même, elle avait vengé Paul, et elle l'avait vengé, lui aussi.

Brave Lily ! Heureusement que son procès avait fini par un non-lieu, le crime resterait protégé ; lui seul, Fabien, aujourd'hui, le connaissait, mais il ne le divulguerait jamais car il le cautionnait ; mieux, il l'applaudissait.

Pendant une semaine, il se terra dans son échoppe et n'osa pas s'en extraire lorsque Lily Barbarin descendait la rue. Il sentait pourtant en lui le besoin de s'élancer, de lui clamer qu'il avait compris, qu'il justifiait son geste et qu'il demeurerait son complice jusqu'à la fin des temps. Or la timidité le retenait. Et qu'auraient pensé les villageois s'il s'était approché d'elle ? Tout le monde estimait qu'il s'était comporté en ennemi, de manière déloyale.

Il médita. Il fallait qu'il dise tout à Lily, qu'il se réconcilie avec elle puisque Moïsette, la peste, était partie, qu'il allège son fardeau de culpabilité en validant son crime.

Un souvenir lointain lui revint en mémoire. En grimpant sur le toit du lavoir, on pouvait parcourir dix mètres sur une poutre et rejoindre le mur qui fermait le jardin Barbarin ; là, grâce au lierre, il parviendrait à y pénétrer et attendrait discrètement Lily pour lui parler.

Le dimanche, après que les cloches eurent rassemblé les fidèles à l'église, il profita du calme qui régnait dans le village le temps de l'office et mit son plan à exécution.

L'exercice lui démontra comme le corps s'altérait au fil des années car le rappel d'un trajet facilement accompli à dix-huit ans fut attaqué par ses efforts poussifs et ses arrêts fréquents.

Néanmoins, il parvint au mur, le descendit en s'aidant

des branches de lierre et de vigne vierge, puis s'immobilisa au fond du jardin.

« Si j'entre dans la maison, elle aura peur. Je préfère patienter là, bien visible. »

Il tourna en rond. Près des bûches, non loin du puits funeste, des cages à lapins et un enclos à poules témoignaient qu'anciennement on avait élevé ici des bêtes pour la consommation courante.

Au bout d'une heure, exténué de poireauter, il se mit à l'ombre sous le court toit en bois qui abritait les cages et s'assit sur la paille desséchée.

Des sacs occupaient deux ou trois mètres cubes, pas en toile comme on aurait pu l'escompter dans un endroit suranné, mais en plastique. Fureteur, Fabien poussa une targette, ouvrit la porte grillagée et en saisit un.

– Qu'est-ce que…

À l'intérieur, des billets de loto se jouxtaient par centaines. À leur ternissure, on devinait qu'ils avaient été imprimés des décennies auparavant.

« Curieux… Elle a sauvé la collection de Moïsette. Je croyais qu'elle s'était débarrassée de ses affaires, de ses vêtements… » Il revoyait la charrette des compagnons d'Emmaüs, l'association charitable locale, emportant des malles de robes, de manteaux, de lampes, de bibelots.

En quelques secondes, il vérifia le contenu des autres sacs : idem. Toute une vie de jeu se trouvait entreposée là, dans le clapier, au fond du jardin. Il fronça les sourcils, garda un sac à la main et, assoiffé, se traîna près du puits pour se rafraîchir.

Pendant qu'il tirait le seau d'eau froide des profondeurs, une image lui revint : le trajet de Lily. Tous les mercredis, elle se rendait à Montalieu, sur la tombe de Moïsette, puis passait par *Les Bons Vivants*, le bistrot qui bordait le cimetière. Ce détail avait intrigué Fabien qui, à Saint-Sorlin, n'avait jamais vu Lily entrer dans un café, mais il s'était expliqué cette halte par la fatigue du voyage. Or le bistrot n'écoulait pas que des boissons et du tabac, il vendait des jeux.

Assis sur la margelle de pierre, d'un geste preste il chercha dans le sac un billet de loto aux couleurs franches, pas délavées. Il en dénicha un, chaussa ses lunettes et l'examina. Un cri lui échappa des lèvres : le coupon datait de deux semaines.

À cet instant, une voix l'interpella :

– Que fais-tu ici ?

Troublé, Fabien bredouilla en découvrant Lily :

– Je dois te dire quelque chose.

– Ne m'as-tu pas déjà assez empoisonnée ?

– Excuse-moi, Lily, je n'avais pas compris.

– Compris quoi ?

Elle se durcit.

Fabien allait exposer ce qu'il avait ruminé depuis des jours lorsqu'il considéra le billet de loto récent retenu entre son pouce et son index… Il saisit soudain à qui il s'adressait.

– Moïse… ? murmura-t-il en relevant les yeux.

À peine eut-il le temps d'apercevoir une bûche s'abattre sur son crâne, son corps vacilla et s'écrasa dix mètres plus bas, au fond du puits.

MADEMOISELLE BUTTERFLY

L'heure était grave. Un compte à rebours fatal avait commencé. Si la plupart des dix hommes ignoraient encore quel danger planait, tous comprenaient qu'on ne convoquait pas à minuit les hauts responsables de la banque sans qu'une catastrophe menaçât. À la hâte, ils avaient quitté, qui un spectacle, qui un dîner, qui une soirée familiale, qui son lit, pour accourir à cette réunion de crise.

William Golden trônait, sombre, au bout de la table. À son habitude, il se retranchait dans les ténèbres, indistinct, volumineux, impressionnant, tandis que les membres du directoire recevaient sur le front une lumière d'accusés diffusée par les spots au plafond. Fermée par de lourdes portes blindées, située au centre mathématique de la Tour Golden, la salle dépourvue de fenêtres se serait réduite à un blockhaus si boiseries, marqueteries, dorures, tableaux impressionnistes ne l'avaient élevée au rang de salon luxueux.

Sur l'acajou que le vernis transmutait en miroir, un

plateau d'argent garni de verres ciselés, de bouteilles à foison – bourbon, porto, Martini, cognac – s'offrait aux hôtes. Aucune main ne s'en approchait. Alors que les estomacs se nouaient et que les bouches s'asséchaient, personne ne se hasardait à boire. Une décence mêlée d'anxiété tétanisait chacun.

– De combien d'heures disposons-nous ? s'enquit Stanowski, le directeur des investissements.

Les têtes pivotèrent vers le lieu opaque où siégeait William Golden, propriétaire de la banque. Il ne broncha pas. Malgré l'urgence, il tenait à rester maître du temps.

William Golden régnait sur le comité en silence. Sans le voir ni l'entendre, les hommes percevaient son courroux.

Paul Arnoux, le directeur général, s'exprima à sa place :

– Ils débarqueront ici à six heures.

La tension s'accentua. Paul Arnoux poursuivit :

– Un appel téléphonique confidentiel – qui doit demeurer secret – a prévenu monsieur Golden que la justice se saisissait de l'affaire et que la brigade interviendrait à l'aurore.

– Un appel de l'Élysée ? demanda le directeur commercial.

Du trou obscur se dégagea une nausée exsudant le mépris. Naturellement, l'avertissement émanait du palais présidentiel, sinon du Président… Pour qui prenait-on William Golden ? Oubliait-on qu'il entretenait des relations avec tous ceux qui comptaient ? Il possédait des amis à chaque étage, souvent débiteurs, lesquels, le jour venu, le remerciaient des services rendus…

Une flammèche jaillit. William Golden allumait un cigare et l'on aperçut, dans le rougeoiement de l'allumette, ses traits nets, nobles, étrangement impavides. En toute circonstance, y compris cette nuit-là, il gardait son empire sur lui-même. Il aspira la fumée comme on boit un nectar, la retint avec volupté dans ses poumons, puis la libéra en douceur par un arrondissement de la bouche ; la volute s'éleva, lente, indolente, molle, ne le quittant qu'à regret.

– Résumons l'affaire, commença-t-il d'une voix cuivrée. Il y a trois ans, en parallèle de nos activités traditionnelles, mon fils a créé au sein de la banque un fonds d'investissement, le FIGR – le Fonds d'investissement Golden risque. En sollicitant les sociétés qui travaillent avec nous ou les gros particuliers dont nous administrons les portefeuilles, il a convaincu quelques-uns de lui confier des sommes et leur a promis un rendement à 15 %. Malgré les aléas du marché, en dépit de la dépression qui affecte l'économie actuelle, il a tenu son pari. Ses clients, satisfaits, ont touché leurs intérêts ; à la suite de quoi, la plupart ont versé des montants plus substantiels et ont rameuté leurs amis. Le FIGR a donc connu une croissance exponentielle. Il gère aujourd'hui trois milliards.

Il mit son cigare sur le cendrier en tourmaline noire.

– Une plainte a été déposée contre le FIGR. Elle dénonce une escroquerie : pas un euro placé ici pour être investi ne l'a été. Elle présume que l'argent a été englouti par des comptes offshore. Elle prétend que ceux qui ont exigé le retour de leurs liquidités – capital ou intérêts – ont été payés par les nouveaux entrants dans le fonds. Bref, la plainte agite le spectre d'une arnaque, assez banale au demeurant, le système de Ponzi, la mystification qui envoya récemment Bernard Madoff en prison pour cent cinquante ans.

Il reprit son cigare, en contempla le bout qui se consumait, orange, tel le cœur d'une forge.

– Une première question s'impose : l'accusation est-elle fondée ?

Un frémissement parcourut l'assemblée. Les mots « honte », « scandale », « coup monté », « concurrence », « cabale », « complot » jaillirent.

William Golden posa l'index sur la table.

– Je vous arrête tout de suite, messieurs. Inutile de perdre votre énergie en postures indignées : l'accusation est fondée.

Il désigna un dossier vert à sa gauche.

– En quelques heures, nous avons découvert, Paul et moi, que le déni ne constituera pas la réaction appropriée. Sitôt que l'on entre, guidé par ce soupçon, dans les arcanes des versements, on décèle des mouvements suspects. Nous n'avons pas eu le loisir d'investiguer, juste d'apercevoir les pistes. Fâcheusement, aucun doute ne subsiste sur le fait que mon fils a construit un système frauduleux.

– Pourquoi n'est-il pas là ? glapit Stanowski, le directeur des investissements.

William Golden s'enfonça dans son fauteuil et ne put s'empêcher de sourire.

– Bonne question, Stanowski.

Il tira quelques bouffées de son cigare, peu disposé à développer. Stanowski s'impatienta :

– Je me permets d'insister, monsieur Golden, et de répéter ma question : pourquoi votre fils n'est-il pas là ?

– Je voulais savoir qui me poserait cette question.

– Pardon ?

William Golden se pencha en avant, ses larges épaules encadrant sa tête combative.

– Je voulais savoir qui réagirait en premier, qui désignerait mon fils comme l'unique responsable. Merci de vous être dénoncé, Stanowski.

– Quoi ? Pas du tout. Je…

William Golden aplatit sa main sur la table et imposa le silence.

– Le FIGR ne fonctionnait pas sans des complices, partenaires de cette supercherie, qui la dissimulaient et qui en profitaient.

Un rictus d'écœurement déforma sa bouche. Il toisa les présents les uns après les autres.

– Selon mon analyse, trois niveaux suffisaient. Si mon fils n'en avait pas pris conscience, vous le lui auriez expliqué, vous, Stanowski. Cacher l'affaire tant à Paul qu'à moi nécessitait deux traîtres dans notre aréopage… Dupont-Morelli… et Pluchard.

Il les pointa du doigt.

– N'est-ce pas, messieurs ?

Les deux hommes courbèrent la nuque.

– Merci de ne pas nier, le temps presse.

William se tourna vers les autres membres.

– Voilà, messieurs. Il y a ici sept personnes honnêtes et trois voyous en col blanc.

Stanowski se raidit sous l'insulte.

– Votre fils manque à l'appel !

– Oui, mon fils manque à l'appel.

– Il est à l'origine de tout.

– À l'origine de tout. Ne le clamez pas trop haut, parce que si vous vous entêtez, j'imaginerai que vous vous êtes servi de lui.

Stanowski se pétrifia. Les autres le fixèrent. Il baissa les paupières, incapable de souffrir le regard inédit qu'on jetait sur lui ; tel un serpent qui mord à l'instant où on le suppose mort, il s'exclama, la rage aux lèvres :

– Pourquoi nous réunir ? Vous vous substituez à la police ? à la justice ? Vous distribuez les peines, aussi ?

William Golden appréciait la résistance de Stanowski,

son courage, son agressivité ; ces qualités-là, bien des années auparavant, l'avaient incité à l'engager.

– Je vous ai rassemblés pour travailler sur la question qui m'obsède : que faire ?

Il déploya son long corps resté svelte, reprit le dossier vert et considéra les dix hommes.

– Que faire ? Nous n'attendrons pas, en condamnés à mort, que la brigade surgisse, perquisitionne, emporte les ordinateurs et les archives. Nous devons agir, nous battre, intervenir au mieux dans le cours des choses.

Doté d'une autorité imparable, il parlait avec feu sans s'échauffer. Il s'approcha de la porte du fond, laquelle menait à son bureau. Sur le seuil, il s'arrêta.

– Je vous donne une heure pour réfléchir. On vous apportera de l'eau et des sandwichs. De mon côté, je vais me concentrer, puis je vous rejoindrai.

Il poussa le battant, assailli par un remords :

– Veuillez me pardonner, messieurs. Je laisse ici des individus intègres en compagnie d'aigrefins. Et, en plus, je vous demande de coopérer. Cela outrage votre probité, j'en conviens, mais l'honnêteté ne détient pas le privilège du discernement. À bientôt.

Il referma avec soin les portes capitonnées, car il ne désirait pas entendre les réactions qui fuseraient, puis s'assit dans son fauteuil de cuir grenat.

De son gilet, il sortit une montre à gousset, en ouvrit le fond et contempla la photographie qui garnissait l'intérieur. Il soupira en consultant le visage.

– Que ferais-tu, toi ?

Le portrait souriait.

*

On les appelait « les Aigles » et ils y croyaient.

Jeunes, fiers, fougueux, expéditifs, prétentieux, ils formaient un clan dont William, spontanément, avait pris la direction. Côte à côte, les six garçons découvraient la vie avec avidité, passionnés et blasés dans la même minute.

– Chiche ou pas chiche ?

– Chiche !

Torse nu, William parcourut le ponton de bois branlant à toute vitesse, poussa fort sur ses jambes et se jeta dans le vide, une main sur le nez. La surface du lac gifla son corps, le froid l'engloutit ; sonné, il se débattit dans l'eau pour remonter au plus vite, sortit la tête des flots, inspira et, content d'avoir réussi, transforma son cri de douleur en rugissement de triomphe :

– Ouah !

Pour lutter contre les frissons, il nagea hâtivement vers le bord, tentant de se réchauffer avec un crawl stylé, au risque de s'asphyxier… Surtout, ne jamais manifester le moindre signe de faiblesse. Crâner. Assurer. Ses gestes s'adressaient à la bande qu'il impressionnait et dont il tenait à demeurer le chef. Jailli de l'onde, exubérant pour qu'on ne s'avisât pas qu'il grelottait, il beugla en essorant le bas de son caleçon :

– Génial !

– Elle n'est pas trop fraîche ?

– Pas du tout. À vous, les gars !

Les garçons se regardèrent, gênés, indécis, penauds. William se félicita d'avoir détourné leur attention car il claquait des dents. Un lac de montagne conservait une température glaciale l'été, en particulier lorsqu'on s'y précipitait après une journée de soleil. De fait, William avait craint l'hydrocution en s'élançant ; dans le court temps qu'il avait passé suspendu dans l'air, il s'était même préparé à mourir ; or quelque chose de plus fort que la raison l'avait propulsé, le goût de dominer, se dominer, dominer le groupe, dominer le monde. Il était l'aigle des Aigles.

À travers chaque défi, William servait le groupe autant qu'il s'en servait. Alléché par l'exceptionnel, il s'exposait volontairement au risque ; ivre de son jeune corps, de la force qu'il y décelait, il le testait en ski, à vélo, à moto, en voiture – quoique sans permis, bien sûr – et collectionnait les paris extravagants. Au mot « chiche », une décharge d'adrénaline l'emplissait de joie, une joie que doublait l'annonce d'un plaisir intense.

Ses camarades entreprirent de poser chemise et pantalon sur la berge. Ils n'y mettaient pas la même intrépidité que lui. Normal, ils n'avaient pas la rage.

William devait plus prouver que les autres car il avait

moins reçu qu'eux. Ces cinq garçons de dix-sept ans appartenaient à des familles très aisées, les millionnaires du lycée Louis-le-Grand. À Paris, leurs pères dirigeaient des sociétés célèbres, tandis que le géniteur de William enseignait l'économie à l'université Dauphine. Si ce métier n'offensait pas son fils, le salaire n'accordait au foyer qu'un train de vie modeste, lequel l'excluait du cercle des Aigles. William y avait été admis grâce à son oncle, Samuel Golden, lequel, enrichi par des opérations boursières, venait de créer sa banque privée ; à cette occasion, les médias avaient tant parlé de lui que l'éclat de Samuel avait rejailli sur son neveu William et lui avait attiré la sympathie des héritiers.

– Chiche ou pas chiche ? s'exclama William.

– Chiche ! répondirent faiblement les cinq garçons.

Aucun ne bougea. Ils hésitaient.

Jouissant de sa supériorité, William perçut l'occasion de la consolider et déclara :

– Attention, vous connaissez le principe : si on ne saute pas dans les trente secondes, on ne saute jamais.

Ils acquiescèrent en piétinant, mais n'avancèrent pas.

William poussa un hurlement :

– Banzaï !

Et, dans l'énergie de son cri, il s'élança une nouvelle fois sur les planches. Sans réfléchir, entraînés par son sillage, les garçons lui emboîtèrent le pas en braillant pour se retrouver au fond du lac.

Dès qu'ils regagnèrent la surface, ils rirent, guillerets,

et lancèrent des sourires vainqueurs, reconnaissants, à William : c'était lui, une fois encore, qui les avait amenés à se dépasser. Décidément, William restait le chef.

Les garçons se poursuivirent ensuite le long des berges afin de sécher plus vite, puis, rhabillés, les caleçons humides à la main, remontèrent vers le gîte.

Ils coulaient ce mois d'août dans les Alpes. Le père de Paul Arnoux, qui possédait un somptueux chalet sur le flanc des Cluzet, l'avait ouvert à son fils et à ses amis. Quelle aubaine ! Si un couple de domestiques assurait l'intendance – l'épouse à la cuisine, l'époux à l'entretien –, les garçons, débarrassés des parents auxquels il aurait fallu rendre des comptes, éprouvaient un violent sentiment de liberté. Ils organisaient leurs journées à leur guise, ou plutôt ne les organisaient pas, cédant à l'envie, à l'inspiration, à l'improvisation.

Pendant qu'ils gravissaient le chemin bordé d'herbes jaunies par la canicule d'août, ils aperçurent en haut une jeune fille qui gambadait, accompagnée d'une chèvre et d'un chien aux poils fous.

– Voilà Simplette !

Ils rirent, William frémit.

Depuis deux semaines, le sobriquet Simplette désignait la jeune fille qui se découpait sur la crête, légère, joyeuse, à l'unisson de la nature débordante de vitalité. Était-elle jolie ? Rayonnante d'abord. Puis, lorsqu'on s'approchait, on découvrait son corps achevé, enthousiaste, d'une sensualité accomplie, prêt à servir. Sa peau lisse, tendue, s'offrait sous ses cheveux de feu. Au plus près, les détails finissaient de charmer, des grains de son sur ses joues, un exquis duvet sur la nuque blanche.

Hélas, la jeune fille souffrait d'un retard mental. On racontait qu'à la naissance, l'entortillement du cordon ombilical autour de son cou avait provoqué une suffocation et détruit des pans de son cerveau. Elle avait parlé tardivement. L'école lui avait coûté des migraines car lire, écrire, compter appartenait peu à ses possibilités.

– Tenez vos langues ! Le père Zian la suit.

Une silhouette branlante talonnait la sauvageonne.

Simplette, qui en réalité s'appelait Mandine, vivait seule auprès de son vieux père. Osseux, ténu, plus frêle qu'un sarment, le père Zian portait une moustache de chat en colère et parlait moins que ses animaux. Ombrageux, suspicieux, aussi blanc de poil que noir d'œil, il boitait dans une indifférence totale à son boitement, comme si boiter était la manière naturelle de marcher.

Mandine virevoltait entre sa chèvre et son chien. Plus l'on songeait à la défaillance de son esprit, plus on trouvait par contraste son corps parfait, jambes longues, taille souple, allure élastique. Sa grâce physique n'équivalait que sa disgrâce intellectuelle.

– William, tu ne quittes pas Simplette des yeux. Elle te plaît ?

William sursauta, puis rétorqua à Gilles qui le brocardait :

– Tu blagues ?

– Oh, fallait voir ton visage !

– J'ai pitié d'elle.

– William vire au saint, les amis ! Mon Dieu, qu'entreprendra Votre Sainteté pour cette pauvre pucelle au cerveau endormi ? La sauter, afin de créer un choc ?

– Gilles !

– Il paraît que l'esprit vient ainsi aux filles.

– Arrête tes conneries.

– Sérieux : dévoue-toi. Coucher avec Simplette, ça lui déboucherait peut-être les méninges. Et puis, imagine, si ça fonctionne, quelle avancée pour la science…

William fusa sur Gilles, lui coinça le cou entre ses bras et feignit de l'étrangler. L'autre simula l'étouffement et ils entamèrent une lutte.

Aussitôt, les quatre camarades se choisirent un champion et l'encouragèrent. Les têtes s'échauffèrent, la pression monta, jusqu'à ce que tous s'empoignent, se boxent, s'agrippent, s'écrasent, roulent dans les fourrés. En quelques secondes, ils avaient oublié pourquoi ils s'opposaient, tout au plaisir de se battre, tels des chiots qui montrent leurs crocs sans jamais se mordre.

Exténués, ils déclarèrent la fin de la bataille et, vautrés dans l'herbe, la tête face à l'azur, reprirent leur souffle.

En bas, Mandine, le père Zian, la chèvre et le chien

s'enfonçaient dans la futaie de sapins. Les cheveux roux de Mandine incendiaient la pénombre et l'on ne perçut plus que ce rougeoiement.

William la contempla jusqu'à ce qu'elle disparaisse.

Au fond, heureusement que Mandine était attardée ! Sinon, elle aurait affolé les Aigles. Devant sa beauté, obligés de se comporter en mâles, les garçons auraient souffert ; normale, elle les aurait divisés. Oui, ils avaient échappé à un danger. Pour l'instant, ils demeuraient unis, amoureux de leur groupe et de son entente, plus fidèles les uns aux autres qu'à une fiancée. Dans leur amitié virile entrait la peur des femmes, ces femmes qui les épiaient, ces femmes qui bientôt les sépareraient, ces femmes qui sonneraient l'adieu définitif à leur enfance. Les vacances revêtaient les couleurs automnales d'un ultime répit. Ils se serraient les coudes car, sous peu, le corps qu'ils voudraient toucher ne serait plus celui, bénin, du camarade, mais celui, fatal, de la tentatrice, de l'aventurière du grand large, de la sirène qui déroute, la femelle crainte et désirée. Le handicap de Mandine les sécurisait, les autorisant à ne lui prêter qu'une attention distraite, celle qu'on adresse à un enfant. Elle ne comptait pas. Sa déficience la rendait moins fille et les rendait moins garçons.

Pour se prémunir contre sa séduction, ils insistaient sur ses difficultés, ses niaiseries, ses erreurs, se les racontant, se les répétant, les inventant parfois, quitte à s'exclamer en cas d'exagération repérée : « Désolé, on ne prête qu'aux pauvres ! » Les adolescents s'employaient à la déprécier avec la cruauté tonique de leur âge. *Simplette* avait donc été préféré à *Mandine*, puis les préjugés sociaux avaient achevé de dresser un mur de protection : une paysanne qui caracolait du matin au soir dans les alpages non seulement n'appartenait pas à leur classe sociale, urbaine, policée, fortunée, mais relevait à peine de l'humanité. Passer son temps auprès des animaux ! Avoir une chèvre et un chien comme compagnons ! Dormir sur la paille ! Se coucher avec les poules ! Se lever avec le coq ! À force de vivre avec les bêtes, elle avait subi leur contamination.

Repus de soleil, alanguis de fatigue, les Aigles décidèrent que, ce soir-là, ils dîneraient sur la terrasse du chalet.

William, accoudé à la rambarde, admirait le paysage en contrebas, le village paisible coincé entre deux murs de montagne, les champs minuscules bornés de talus pierreux, les forêts de mélèzes qui prenaient des couleurs d'encre.

Au déclin du soleil, la vallée s'ombrait de mélancolie. À mesure que la lumière s'estompait, jaillissaient les odeurs qui, retenues, avaient attendu le crépuscule pour s'ébrouer : résine, fougères, champignons, fleurs qui expirent… L'humidité, refoulée tout le jour, se vengeait et empoignait les garçons ; dans leurs muscles, sur leur peau, ils éprouvaient l'envie d'autre chose que des courses, des concours, des défis, des pugilats. Imprégnés par la nature qui devenait féminine et moite, ils poussaient malgré eux des soupirs languissants, rêvaient de suavité, creusés par un appel qu'ils ne parvenaient pas encore à nommer.

Gilles tendit un verre à William, puis savoura le sien à son côté.

– Je ne plaisantais pas : tu dévorais Simplette des yeux.

– N'importe quoi...

– Elle te plaît.

– Elle plaît à tout le monde jusqu'à ce qu'elle ouvre la bouche. Alors là...

– On ne couche pas avec un cerveau.

– Il y a des limites... Tu m'imagines, moi, faisant l'amour avec une fille qui n'a jamais lu un livre, qui possède moins de vocabulaire qu'un chien, dont la meilleure copine est une chèvre ? Que nous dirions-nous avant ? De quoi parlerions-nous après ? Pitié ! Je ne drague pas les infirmes. En face d'une tarée, je n'arriverais même pas à bander.

– Ça, moi non plus ! concéda Gilles.

Ils trempèrent leurs lèvres dans le vin vigoureux aux saveurs de truffe, issu d'un cépage de mondeuse. Pour se donner des airs d'adulte, ils mâchouillaient et crachaient le liquide.

Sur un sentier qui tournait à la diable, un troupeau de vaches carillonnant de toutes leurs sonnailles rentrait à l'étable. Le ciel s'éteignit.

Gilles s'exclama :

– Chiche ?
– Pardon ?
– Chiche ou pas chiche ?
– De quoi parles-tu ?
– Coucher avec Simplette ?
– Oh ! Tu deviens dingue…
– Tu te dégonfles !
– Ta gueule !

Gilles se retourna et, haussant la voix, prit le groupe à partie :

– Les gars, William se déballonne ! Je lui ai lancé un défi et il se carapate.

– Quel défi ? demanda Paul.

– Coucher avec Simplette !

Ils éclatèrent de rire, d'un rire gras, trop gras, appuyé, insistant.

En fixant ses camarades grimaçants qui se tapaient sur les cuisses, William ressentit une bouffée de mépris. Leur hilarité outrée racontait leur gêne, leur immaturité, leur malaise de puceaux convulsés à la moindre évocation sexuelle ; il les trouva soudain minables, abjects, et, pour cette raison, s'entendit répondre avec force :

– Chiche !

La semaine suivante, William s'éloigna du clan, les Aigles lui octroyant le temps de chasser sa proie.

Même s'il regrettait son pari, il chérissait les heures

qu'il coulait seul, officiellement sur la piste de Simplette, en réalité étendu sur le dos, à regarder les nuages, à détecter leur ressemblance avec les objets terrestres, là un géant qui jouerait de la trompette, là une touffe de lavande, là une poire ; d'autres fois, il sortait un livre de sa poche. Depuis juin, il s'était entiché de James Bond, le héros de Ian Flemming, l'élégant espion concentrant des qualités qui s'éparpillent généralement en plusieurs individus, le glamour, la perspicacité, la mémoire, le courage, le sang-froid, l'humour, la séduction. James Bond, qui est à l'humanité ce que le couteau suisse est au canif, l'envoûtait par son assurance, qu'il se promettait d'imiter.

Mandine avait aussitôt remarqué William. La première fois, elle l'avait gratifié d'un sourire magnifique, un sourire incroyablement généreux dans lequel elle se donnait sans retenue. Quoique surpris, William le lui avait rendu sans mal. Avait-elle rougi ? Il ne l'aurait pas juré mais elle avait accéléré le pas, invitant par des claquements de doigts la chèvre et le chien à la précéder sans délai. Depuis, le sourire durait chaque jour davantage et elle s'enfuyait moins vite.

William avait cerné les sentiers qu'elle empruntait, liés aux diverses tâches qu'elle accomplissait. Alors qu'il n'avait aperçu auparavant qu'une sauvageonne qui cabriolait, libre, dans les champs, il savait maintenant qu'elle menait une journée de travailleuse et ne chômait jamais.

Pourquoi ne l'avait-il pas abordée ? Beaucoup de raisons le freinaient. D'abord, il se délectait tant de sa solitude loin du groupe qu'il ne se pressait pas d'exécuter sa mission. Ensuite, le corps solide, sain, resplendissant de Mandine l'éblouissait. Enfin, un instinct de braconnier lui suggérait que la bête fauve devait venir d'elle-même pour qu'il la capturât.

Ce jour-là, l'été régnait. Un soleil excédé de midi anéantissait la montagne. Rien ne bougeait plus. Aucun oiseau ne chantait, aucune pierre ne roulait. La chaleur cuisait tellement William qu'il s'était réfugié sous l'ombre d'un arbre feuillu.

Échappant à la torpeur paralysante, Mandine, escortée par sa chèvre et son chien, descendit le vallon ouest et repéra William au pied du chêne. Il lisait.

Elle fonça vers lui. Devinant qu'un événement allait se produire, il se contraignit à simuler la concentration et ne releva la tête qu'au dernier moment.

Son souffle se bloqua.

Jamais Mandine n'avait été aussi belle. Appétissante comme un fruit, elle flamboyait devant lui. Sa jupe mal coupée et son tablier trop ajusté rendaient son corps encore plus désirable ; il ne tirait sa grâce que de lui, pas d'un artifice vestimentaire. William admira sa peau sablée, sa bouche pulpeuse, ses épaules laiteuses que l'on entrevoyait sous le corsage.

Elle inclina la tête sur le côté, puis éclata de rire, d'un rire naturel, plus gai que railleur, capiteux.

Ses formes – poitrine, hanches, cuisses, mollets – troublaient William qui n'avait jamais contemplé de femme potelée, la mode engageant les filles de son milieu à la maigreur. Cette rondeur lui sembla incongrue, déplacée, dérangeante, attirante.

– Je suis Mandine.

– William.

Ce nom lui plut, elle le répéta plusieurs fois en sourdine, le mâchant, le dégustant.

Puis elle s'assit tout près de lui.

– D'où viens-tu ?

– De Paris.

Fascinée, Mandine hocha la tête en rabâchant « Paris ». William ne l'aurait pas plus émerveillée en disant « Mars ». Du temps que dura sa sidération, il inféra que son esprit moulinait poussivement.

Elle se pencha et lui décocha un sourire ravageur, dardant sur lui ses yeux noisette. Il frissonna. Dans ce sourire, miroitaient mille phrases : « Tu me plais », « J'aime me tenir auprès de toi », « J'ai envie de toi », « Fais ce que tu veux », « Qu'attends-tu ? »…

Le sang de William précipita sa circulation, gonflant les veines de son cou ; il craignit d'exploser.

En frémissant, sa main effleura le genou de Mandine. Elle gloussa. La main s'y attarda. Elle rit. La main caressa cette peau si tendre.

Soudain, alors que les doigts du garçon descendaient sur sa cuisse, Mandine bondit, marqua trois pas en arrière et se colla derrière le tronc, joviale. William comprit le jeu. Il sauta sur ses pieds et commença à la pourchasser.

S'ensuivit une partie de cache-cache entre les arbres, où Mandine se laissait presque attraper, puis se sauvait, puis ralentissait. Plus maladroit qu'elle, William se prêtait à ses taquineries ; il exagérait même sa gaucherie en tombant souvent, histoire de déclencher en elle un rire de gorge sensuel qui le ravissait.

Quel baume de fausser compagnie au langage ! De ne pas draguer avec des formules cent fois employées ! Adieu les préliminaires fastidieux ! Il adorait cette poursuite animale, badine, enjouée, mignonne, qui coïncidait avec les parades nuptiales que connaissent toutes les espèces. De la simplicité, enfin !

Au moment où elle le décida, William immobilisa Mandine et ils roulèrent, corps à corps, parmi les fougères. Quand leurs visages se trouvèrent l'un en face de l'autre, William, délicatement mais sans hésitation, posa ses lèvres sur les siennes.

Il vécut ce baiser comme un épanouissement, une fleur s'ouvrant sous les rayons de l'aube.

Enivré, surpris, il reprit son souffle et elle murmura avec l'expression d'une madone en prière :

– Alors c'est toi, mon amoureux ?

– Il faut croire.

– Cela faisait longtemps que je t'attendais.

– Moi ?

– Mon amoureux.

Elle avait baissé les paupières, et William comprit le message entre les mots : elle était vierge.

Un scrupule le refroidit. Ne poussait-il pas le pari trop loin ? Abuser d'une pauvre fille pour frimer auprès de ses copains…

Elle perçut sa réticence.

– Pas peur, murmura-t-elle en l'embrassant de nouveau.

Cette fois, il ne sut pas qui, d'elle ou lui, combattait la peur.

Elle échappa à son étreinte en glissant sur le côté et, en un quart de seconde, se redressa.

– Gust ! Blanchette !

Le chien jaune et la chèvre rejoignirent leur maîtresse.

Elle sourit à William, espiègle.

– À demain.

Il fut soulagé qu'elle prît leur relation en main.

– À demain, murmura-t-il en écho.

Et Mandine s'éclipsa dans la futaie.

William avait désormais l'impression de vivre plusieurs vies. Ou plutôt de tirer plusieurs histoires de son existence.

Aux Aigles, il racontait qu'il progressait, que, s'il avait déjà conquis l'esprit de Simplette, son corps succomberait bientôt. Seul, il hésitait sur la conduite à tenir : profiter égoïstement de sa bonne fortune, ou renoncer d'urgence à ce pari inepte par lequel il torturait une innocente qui s'abandonnait à la passion. En face de Mandine, il cessait de s'interroger, embrassait ses petites mains marquées de fossettes roses à la base des doigts, caressait ses mèches rousses à la naissance du cou, subissait une sorte d'amnésie et endossait sans retenue le rôle qu'elle lui attribuait : son amoureux auquel, à l'issue d'un temps décent, elle céderait.

Août finissait. Les jours raccourcissaient mais demeuraient torrides. Les garçons mesuraient que les vacances allaient s'achever et ils en éprouvaient une sorte de nostalgie à l'avance.

William prévint Mandine qu'il ne lui restait plus que trois soirs. Loin de la manipuler ainsi qu'il s'en vantait auprès de ses camarades, il la laissait agir.

Après l'heure de midi qu'ils avaient passée, main dans la main, à se promener le long d'un ruisseau chanteur, elle avait susurré :

– Ce soir, dix heures, à la grange de Cherpaz.

Il blêmit, sans déterminer si c'était de joie ou de désolation : cela se ferait donc…

De retour au chalet, soucieux de protéger son rendez-vous, il prétexta des maux d'estomac pour se retirer dans sa chambre avant la fin de la soirée, chambre qui, par bonheur, se nichait dans l'aile isolée.

Là, il ferma le verrou, se doucha, ouvrit la fenêtre et partit dans la nuit.

Les étoiles avaient refroidi l'atmosphère. Impatient, William tomba plusieurs fois dans les ravins et fossés qu'il ne connaissait que de jour, se cogna à des murets, dérapa sur des rochers, mais ne ralentit pas. Malgré l'obscurité, il distinguait la masse basse et trapue de la grange. Alentour, la forêt s'était modifiée en rempart lugubre, malveillant. Volcanique, les joues en feu, il arriva blessé à la bergerie, avec, sur la langue, un goût de sang car, pour stopper son écoulement, il avait léché ses plaies aux genoux et aux poignets.

Lorsqu'il franchit la porte basse, deux bras l'enlacèrent et Mandine l'embrassa avec une ardeur inégalée. Il lui rendit son baiser jusqu'au vertige.

Au fond de la pièce unique, non loin des moutons, un drap propre avait été tendu sur un matelas, offrant une couche nimbée par la lumière vacillante d'une bougie.

Ils s'agenouillèrent l'un en face de l'autre.

La fraîcheur des cimes ne parvenait dans le bâtiment qu'atténuée.

D'un geste, elle lâcha ses cheveux qui s'enflammèrent. Puis, à son amant ébloui, elle indiqua d'un regard qu'il devait lui ôter ses vêtements.

En la déshabillant, il découvrit son corps idéalement rempli de chair, ses seins si clairs, à peine rosés, son nombril haut, ses hanches qui appelaient les baisers et les caresses.

En le déshabillant, elle découvrit son ventre plat, ses os massifs et apparents, sa pilosité dessinée sur son torse, son sexe qui l'exigeait de toutes ses forces.

Ils firent l'amour.

Au matin, lorsque la rosée se condensa en fumée sur la vallée, William eut du mal à quitter Mandine. En revanche, le soir, il n'eut aucun mal à user du même stratagème, afin de profiter d'une nouvelle nuit avec elle.

Mandine, au rebours de ce qu'il avait prévu, se montrait souveraine d'assurance dans le plaisir physique auquel elle s'initiait. Chaque geste, du plus pudique au plus osé, lui semblait légitime. Comblé, il admirait son audace naturelle et raffolait de leurs étreintes. Elle passait brusquement d'un état à un autre, du sommeil lourd au cri «J'ai faim» qui la jetait sur ses pieds. Surprise, désir, gaîté, volupté, fatigue... elle vivait tout avec intensité, tel un enfant absorbé par l'instant.

Le dernier samedi, les garçons programmèrent une fête, fort arrosée, qui enterrerait en majesté leurs fabuleuses vacances. William, qui n'avait aucune envie de rater un ultime moment avec Mandine, élabora un moyen d'éviter la beuverie :

– Ce soir, les amis, je conclus !

– Oh !

Les garçons demeurèrent bouche ouverte, d'autant plus étonnés qu'entre eux ils avaient supposé William en échec. Celui-ci sentit le besoin de fanfaronner :

– Elle m'attend à dix heures.

– Où ?

– Pas le droit de le dire.

– Chez elle ? Tu vas baiser Simplette sur son lit, tandis que le père Zian derrière la cloison commentera tes coups de reins ?

– Non, la région ne manque ni de bergeries ni d'étables… Cela ne vous a pas échappé ?

Gilles siffla d'admiration.

– Eh bien, mon vieux, bravo ! Au moins, toi, tu n'es pas bégueule.

En songeant aux prodigieux moments partagés avec Mandine, William aurait frappé cet abruti. Au lieu de cela, il afficha une grimace malicieuse.

– Un pari est un pari ! Il en faut plus pour m'arrêter.

Dans les heures qui suivirent, William constata, à l'attitude des Aigles, qu'il venait de regagner un prestige perdu sans qu'il s'en fût aperçu tant ses réflexions volaient ailleurs. Il en conçut du mépris, sans arriver à déterminer si ce mépris s'adressait aux garçons… ou à lui.

Peu lui importait ! Comptait seulement sa nuit avec Mandine. Cette fois-ci, il n'eut pas à feindre une maladie ou à escalader la fenêtre, il partit sous la lumière des torches, applaudi par les Aigles, flanqué de commentaires : « Embrasse Simplette pour moi ! », « Dis-nous si elle retrouve la parole, juste après », « Gaffe à ne pas choper la syphilis ! », « Gardez-moi un chiot ! »…

Il serra les dents, haussa les épaules et, sitôt hors de leur vue, gagna la bergerie en courant.

Cette nuit-là s'avéra aussi sublime que déchirante. Mandine pleura beaucoup, autant qu'elle rit. Ils jouirent plusieurs fois, avec bonheur, avec désespoir, avec exaspération. Il promit tout ce qu'elle lui demanda, à la fois sincèrement et pour ne pas la chagriner. Avant l'aube, au moment où elle s'était endormie, il la quitta.

Dans le train qui les ramenait à Paris, les Aigles traitèrent William en héros. S'il allégua la fatigue pour ne pas trop répondre à leur curiosité invasive, il finit par brosser une épopée de ses exploits, un récit qui visait à étancher leur soif et à protéger la vérité. Alors qu'il déprimait, il voyait bien dans leurs yeux qu'il triomphait. Au bout de quelques heures, tout le révulsa, ce retour, son pari, ses vantardises, les étreintes avec Mandine, les réactions de ses amis ; à force de la redire et de l'entendre répéter, il finit par croire à la fiction qu'il avait créée, puis se jura de ne plus jamais penser à la véritable Mandine en balançant ses souvenirs au néant.

Une année scolaire commençait, offrant son lot de matières neuves, de difficultés inédites, et William augura qu'il parviendrait à oublier.

Quelque temps après le début des cours, il reçut une lettre. À l'allure de l'enveloppe, il soupçonna une erreur : papier parme, encre turquoise, caractères mal formés, cœurs et fleurs dessinés en guirlande sur les bords, on aurait dit le message d'une fillette en classe primaire. Or son nom et son adresse figuraient au recto.

Mandine lui avait écrit :

« *William mon namour. Tu me manc. Quant tu reviin ? Je t'aim. Mandine.* »

Il lança la feuille au loin. Quelle honte ! Non seulement il voulait se débarrasser de ce personnage superflu, une débile incapable d'inscrire un mot sans faute, mais il repoussait le pincement de tendresse qu'il éprouvait.

À la lumière de la grammaire défaillante, de la graphie boiteuse, des pâtés d'encre qui éclaboussaient chaque ligne, il se rendait compte que Mandine se réduisait à Simplette. Après une telle missive, plus possible d'entretenir des illusions. Simplette ne méritait ni son amour ni son amitié. Ni rien. Il se jugeait sali. Ce n'était pas lui qui l'avait souillée, mais elle !

« Qu'est-ce qui m'a pris ? »

Il se rappela le pari et décréta que l'aventure ne serait pas arrivée sans ce défi. En quelques secondes, il réaménagea ses souvenirs d'été, se peignit en manipulateur triomphant – James Bond en mission – et réussit à se redonner l'étoffe d'un héros. L'homme est ainsi fait que la culpabilité appartient aux émotions fugitives, le sentiment permanent demeurant l'estime de soi.

Parce qu'il ne répondit pas, il reçut une deuxième lettre :

« Mon namour. T'a pa ressu ma lètre ? J'ai mal au ventre tan tu me manc. Je t'aim. Je t'atten. Viin vite. Bésés. Mandine. »

Il jeta la missive au vide-ordures.

Les messages continuèrent à affluer, porteurs du même amour et de ses démangeaisons. William les lisait pour asseoir son refus de correspondre. Pointant son expression maladroite afin de mieux mépriser la jeune fille, il finissait par considérer Simplette comme un être inférieur, aux marges de l'humanité, indigne de politesse et de respect, négligeable. Une bête, en somme…

En novembre, l'enveloppe avait changé de couleur. Blanche, sobre, elle ne comportait pas les cœurs et les fleurettes habituels.

« Reviin. Je sui zancinte. Mandine. »

William ricana d'abord, puis verdit. Disait-elle vrai ?

Il occupa la semaine à méditer. Le samedi, il inventa un motif pour justifier son absence auprès de ses parents, monta dans un train et partit en Savoie.

Le taxi le déposa dans le village. Se sentant étranger, il scruta les pentes où s'était déroulée sa conquête. Tout lui sembla différent. Une chape de nuages oppressait la vallée, l'herbe avait foncé, certains champs paraissaient pelés, la terre brune humide évoquait une chair blessée qui saigne.

Il n'avait pas de plan. Ou plutôt il en projetait plusieurs. Tout dépendrait de ce qu'il découvrirait.

Il s'approcha du chalet des Thievenaz en se cachant dans le bois.

Lorsqu'il parvint à cinquante mètres de la bâtisse, il remarqua un vieillard assis devant la façade. Le père Zian, la peau boucanée par le soleil, sec comme une trique, sculptait un morceau de pin avec son canif.

William se coucha dans l'herbe et attendit.

Une demi-heure après, Mandine déboucha à l'horizon pour accéder au chalet.

William manqua défaillir : elle avait changé, plus belle, plantureuse. Il plissa les paupières et vit ce qu'il refusait de croire : un ventre pointait, rond, doux, que sa main caressait. Autour d'elle, la chèvre et le chien caracolaient, à leur habitude, allègres, dynamiques, et leur présence agaça William qui s'avisa que seuls eux, le chien et la chèvre, étaient demeurés fidèles. Les authentiques amis de Mandine.

Sans réfléchir, il se dressa sur ses jambes et agita les bras en sa direction. Elle se figea. Puis elle s'éclaira d'un sourire radieux, éperdument heureux.

À cet instant-là, William lui signifia qu'ils devaient éviter le père Zian. Par miracle, elle saisit aussitôt et, modifiant son trajet, elle s'orienta vers la bergerie.

Lorsqu'ils se rejoignirent sous le toit de lauzes grises, la rencontre ne se déroula pas comme William l'avait souhaité. Les joues inondées de larmes – des pleurs d'extase –, Mandine se catapulta contre lui et l'embrassa. Contrairement à ce qu'il espérait, elle ne lui en voulait pas. Toute rancœur, toute frustration, toute accusation, tout reproche légitime avait fondu : son amoureux lui était rendu, elle l'adorait, ses souffrances n'existaient plus, elles se réduisaient à de l'impatience.

William affrontait un chien trop affectueux. Plus il tentait de la repousser, plus elle insistait, et sa chaleur, son souffle, son odeur, sa peau de lait, ses cheveux blond-roux ramenaient à William le souvenir de leurs nuits. Il continua à se débattre sans plus savoir si c'était pour la toucher ou la garder à distance.

Ils s'allongèrent sur le foin, se calmèrent un peu et, main dans la main, se pâmèrent devant les toiles d'araignées géantes entre les poutres.

– Regarde ! dit-elle orgueilleusement.

Elle mit son ventre à nu, empoigna la main de William et l'y appliqua.

– Tu sens ?

William accepta de maintenir sa paume contre le nombril chaud puis la retira, l'air sévère.

– Nous devons parler, Mandine.

– Oui.

– Je ne veux pas d'enfant.

– Tu...

– Je ne veux pas d'enfant.

Elle secoua la tête en signe de dénégation.

– Un homme et une femme, ça fait des enfants. C'est la nature.

– Ça arrive quand l'homme et la femme ont décidé de se marier.

– Épouse-moi ! lança-t-elle en riant, folle de joie.

– Écoute-moi jusqu'au bout. Il faut que l'homme et la femme se marient et fondent une famille. Je t'aime beaucoup mais je ne me marierai pas avec toi.

Le visage de Mandine se vida de son sang et devint gris. Elle le fixait sans certitude d'avoir compris.

Il mit de la douceur dans sa voix pour amortir la dureté de ses paroles :

– Je ne me marie pas avec toi parce que je vis à Paris. Je ne marie pas avec toi parce que je suis trop jeune. Je ne me marie pas avec toi parce que j'entreprends des études qui vont durer. Je ne me marie pas avec toi parce que, même si tu me plais, tu n'appartiens pas au genre de femmes que je dois épouser.

À la différence d'une autre fille, Mandine ne ripostait pas. Certes, elle aurait pu argumenter, lui assurer qu'elle vivrait à Paris, qu'on n'était jamais trop jeune pour s'aimer, qu'elle attendrait la fin de ses études, or, servie par son instinct qui se fiait peu aux mots, elle discernait en William une citadelle d'hostilité protégeant un cœur mort. Au lieu d'écouter les phrases, elle se concentrait sur cette intuition, une intuition qui lui pesait, qui la glaçait et l'accablait.

William sortit une enveloppe pleine de billets.

– Tiens, je t'ai apporté mon argent.

– Pourquoi ?

– Pour prendre ma part.

– ???

– Je sais que c'est arrivé à cause de moi. Cet argent te permettra d'avorter.

Comme une bête qu'on saigne, Mandine poussa un hurlement et s'écroula sur la paille.

Touché par sa détresse, William tenta de la consoler :

– Mandine… Mandine… allons.

Il essayait de lui caresser le bras, l'épaule, la joue. Plus il se montrait gentil, plus elle le rabrouait, ne supportant ni ses attentions ni son contact.

Pendant une heure, il s'escrima à la raisonner. Or les paroles n'influençaient pas Mandine, elle en restait à ce qu'elle sentait. Et ce qu'elle sentait l'affligeait définitivement.

William finit par se décourager, se releva, s'écarta, posa l'enveloppe en évidence devant la couche de paille, contempla la jeune fille sanglotante, recula, chancela sur le seuil et, giflé par l'air froid de novembre, dévala la pente sans se retourner, afin d'attraper le train qui le ramènerait à Paris.

*

Les hommes criaient, tempêtaient, juraient, s'opposaient, s'insultaient, sortaient de la pièce à grand fracas, y revenaient avec haine, dénonçaient, s'alarmaient, s'enfuyaient, descendaient, remontaient, prolongeaient la discussion, agités par l'énergie du désespoir. La panique avait gagné la moindre parcelle de peau, ils avaient perdu leur réserve de cadres supérieurs. Proches de marins en danger, tels ceux du *Titanic* qui voyaient un iceberg déchirer leur navire, ils percevaient que l'avenir avait les traits précis d'une calamité. D'ici peu, à l'heure légale, six heures, les enquêteurs de la brigade financière émergeraient du matin mou, carillonneraient aux portes de la Tour Golden, passeraient au peigne fin les bureaux, les dossiers, les ordinateurs, interrogeraient le personnel, emporteraient les documents nécessaires à la mise en examen, puis à l'instruction, puis à l'inculpation. S'ensuivraient le lynchage médiatique, la faillite de la société Golden, diverses peines pour ses responsables. Les dix individus présents vivaient leurs derniers instants dans cette salle. Le scandale qui allait éclater les éclabousserait à des degrés différents : les coupables partiraient en prison, d'autres écoperaient d'amendes, tous seraient entachés de soupçons, même les innocents. Plus aucun ne capterait la confiance.

Le téléphone à la main, Stanowski tapait et retapait une suite de chiffres.

– Allô ? Allô ?

Il jeta son mobile sur la table.

– Et merde ! Ce petit con ne décroche pas !

Le directeur commercial s'approcha.

– Tu tentes de joindre Golden Junior ?

– J'ai composé tous ses numéros.

– Comment veux-tu qu'il réponde ? Le téléphone ne passe pas dans les avions.

– Quoi ?

Le directeur commercial s'assit en face de Stanowski et lança, cinglant :

– Pourquoi crois-tu qu'il n'est pas là ? Sitôt qu'il a appris la perquisition, son père l'a poussé dans un avion pour l'étranger. En ce moment, Golden Junior vole vers une terre où l'on n'ira pas le chercher.

– Putain !

Paul Arnoux, le bras droit de William Golden, qui avait écouté cette scène avec répugnance, se leva. Il se dirigea vers le fond de la salle et frappa à la porte de son patron, ami de toujours.

– Entre.

Conscient qu'un seul homme s'enhardirait à le déranger lors d'une nuit pareille, William Golden ne leva pas la tête pour vérifier qui s'avançait et lui désigna un fauteuil.

Ils demeurèrent une minute silencieux. Puis William se renseigna :

– À côté, des solutions ?

– Les réactions l'emportent sur la réflexion.

– Mais encore ?

– Trop d'idées pour qu'une pertinente apparaisse.

Paul Arnoux toucha l'avant-bras de son ami.

– Pourquoi ton fils ne siège-t-il pas parmi nous ?

William Golden frémit. Paul Arnoux insista :

– Je peux te poser cette question, tu ne me suspecteras pas ?

William Golden avala sa salive et regarda, douloureux, le plafond à caissons.

– Il n'est pas au courant de ce que je sais. Il ignore qu'une perquisition se profile.

– Pardon ?

– Il dort.

Paul Arnoux bafouilla de stupeur :

– Quoi ? Tu ne lui as pas annoncé que ses extorsions avaient été découvertes ? Tu ne lui as pas réclamé des explications ?

– Il dort.

Paul Arnoux retira sa main, comme s'il ressentait une brûlure.

– Je t'en prie, William, dis-moi que tu n'es pas aveuglé par l'amour.

– Aveuglé ? Pas une seconde. Il a monté cette crapulerie et nous a menti pendant trois ans. Aucun doute là-dessus, mon fils a trahi ma confiance. Dois-je m'en étonner ? Ça s'inscrit dans l'ordre naturel, ce genre de crime. Les fils tuent leur père depuis des millénaires.

– Excuse mon ignorance, je n'ai élevé que des filles, répliqua Paul Arnoux sur un ton amer.

– Les éléments que j'ai corroborent la culpabilité de mon fils. Néanmoins, il a œuvré avec des complices. Trois, voire davantage… Franchement, je me demande si Stanowski n'a pas amorcé la tricherie. Tu ne trouves pas que…

– Quelle importance ? Ton fils constitue la clé de l'arnaque. Son crédit auprès de toi, auprès de moi, auprès de nos actionnaires, auprès de nos clients, lui a permis de créer le FIGR, puis de l'activer. Je me moque de savoir qui manipule les marionnettes, Stanowski ou lui. Tout a dépendu de ton fils.

– Admettons qu'il ait conçu la duperie – ce que je crois –, est-il coupable pour autant ? Le coupable est-il toujours le coupable ? « Coupable » se révèle parfois un prête-nom. « Coupable » devient souvent l'habit d'une victime.

– Pardon ?

– Mon fils a orchestré une escroquerie ? D'accord ! Cependant, qui est l'auteur de son tempérament d'escroc ? Moi peut-être…

– Je te défends de raisonner ainsi. Toi, tu as grimpé les échelons de la société en respectant les lois.

– Légal. Mais moral ?

– Légal ! Rien d'autre ne compte. Il n'y a qu'une loi et plusieurs morales. Ne cherche pas des excuses à ton fils, nos décisions viennent de nous. Tout le monde subit les circonstances, chacun fait son choix. Ton fils a fait le mauvais choix.

– Juste.

– Tu le laisses dormir ?

– Cela changerait quoi, que je le réveille ?

Paul Arnoux ne put réprimer un mouvement d'humeur :

– Qu'il défasse ce qu'il a fait !

– Trop tard.

Paul Arnoux se leva, fébrile.

– Trop tard ? Si le gong a sonné, rentrons chez nous, la police nous cherchera dans notre lit. *Morituri te salutant.*

William Golden soupira de lassitude et, d'un doigt, pressa Paul Arnoux de s'asseoir.

– Parlons argent. As-tu vérifié les comptes auprès du directeur financier ?

– Malheureusement, oui.

– Quel est le montant de la somme ?

– On évoquait trois milliards. En vérité, c'est quatre milliards.

Le chiffre provoqua une explosion de silence. William Golden n'aurait jamais cru que les dettes du fonds atteindraient ce palier.

Après deux minutes, Paul Arnoux ajouta :

– Un peu plus de quatre.

– Oh, ça suffit. À ce niveau, les millions deviennent des vétilles.

Le silence se renforça. William Golden se déplia, ouvrit une porte, laquelle dévoila une collection de bouteilles, bitume, ambre ou topaze, éclairées par les étagères. Il parcourut les étiquettes avec découragement :

– J'ai l'habitude de dire qu'un whisky convient à chaque situation, mais je crains d'avoir des habitudes idiotes. Je ne vois pas lequel…

– Opte pour le plus cher. *Hic et nunc.* Demain, tu ne pourras plus.

William Golden approuva de la tête, empoigna une bouteille de trente ans d'âge, remplit les verres d'un liquide dont chaque goutte coûtait le prix de l'or et se rassit à côté de Paul Arnoux.

Ils trinquèrent maussadement. William but une gorgée, grimaça de plaisir, claqua la langue et reprit d'une voix tranchante :

– Notre capacité de remboursement ?

– Celle de la banque ? Un quart du montant.

– Et moi ? Moi en personne privée ?

– Encore moins. Même si tu vends la totalité de tes biens.

– Nous ne ferons pas face ?

– Non.

– Donc, c'est la ruine ?

– Donc c'est la ruine.

Ils hochèrent la tête. Le travail d'une vie entière – leur œuvre – venait d'être détruit. Aucun commentaire ne se serait montré à la hauteur de leur désarroi.

Le silence se chargea de remords, de regrets, d'angoisses concernant l'avenir. Les pensées se bousculaient en eux, pressées, nombreuses, inabouties, toujours chassées par de nouvelles.

Par réflexe, comme un dévot égrène son rosaire, William Golden agrippa sa montre et en ouvrit le fond pour regarder la photographie.

Paul Arnoux s'étonna :

– Qu'est-ce que…

– Rien, dit sèchement William en fermant le clapet.

Pour jouer le naturel, il consulta le cadran, puis désigna la porte qui donnait sur la salle de conférences.

– Une heure qu'ils discutent, là-derrière… Allons écouter le résultat de leurs cogitations.

Paul Arnoux haussa les épaules, sceptique. Il n'attendait aucune solution des hommes à côté. D'ailleurs, il n'attendait plus rien. En hochant la tête, il murmura, les lèvres pendantes :

– Que faisons-nous ici ? Était-il utile d'organiser une réunion de crise sur le *Titanic* une fois que l'iceberg avait éventré la coque ? Nous ne préviendrons pas un naufrage inexorable. Nous ne sauverons rien.

Réprobateur, William Golden déclara en examinant le liquide doré dans son verre :

– Que peut-on sauver ? L'argent ?

– Non.

– L'honneur ?

– Non plus. *Alea jacta est.*

Paul Arnoux se retira.

Demeuré seul, William répéta plusieurs fois :

– Ni l'argent ni l'honneur.

Reprenant sa montre, il dégagea la photographie et, d'une voix altérée, insista :

– Qu'aurais-tu fait ?

*

En avril, alors qu'il commençait les révisions pour le baccalauréat, William reçut une lettre de Mandine.

Ses doigts tremblèrent en la saisissant.

Il n'avait plus reçu de nouvelles d'elle depuis leur entrevue de novembre, un silence qui l'avait rassuré autant qu'inquiété. Rassuré, car il signifiait que Mandine avait renoncé. Inquiété, car il connaissait trop mal Mandine pour prévoir ses réactions et, narcissiquement, il n'imaginait pas qu'on cessât de l'aimer si vite.

Plusieurs fois, il avait songé à lui écrire, mais la prudence l'avait retenu. Une lettre aurait réveillé la flamme de Mandine et alerté le père Zian, oui, une missive aurait risqué d'apporter une preuve objective de sa présence dans une histoire dont il voulait rester absent. En décembre, tenaillé de ne rien savoir, il avait quand même demandé à Paul s'il se rendait au chalet savoyard pour Noël. Son ami s'était exclamé avec une mine désappointée : « Figure-toi que le *pater familias* l'a vendu ! Un Hollandais lui en a proposé une somme énorme. Ma sœur et moi, nous avons protesté, mais le *pater*, lassé des pistes de ski aux environs et des sentiers de randonnée, nous a promis d'acheter un chalet à Zermatt, en Suisse. Tant pis et tant mieux à la fois… » En apprenant cela, William avait éprouvé un soulagement : ni Paul ni sa famille – personne de son milieu – n'établiraient un rapport entre le spleen de Mandine et lui. Désormais, Mandine, le père Zian, la chèvre folâtre, le chien jaune résidaient au bout du monde, à des milliers de kilomètres.

Dans le hall ombreux de l'immeuble, il décacheta l'enveloppe, le cœur battant, avec une curiosité bien plus vive qu'à l'automne, lorsqu'il se contentait de soupirer d'agacement.

« Il ai né. Sé un garson. Il te ressamble. Il ai tré bo. Je l'aim. Je t'aim. Mandine. »

William lut le message plusieurs fois, sans parvenir à le lester de réalité. Mandine avait gardé l'enfant ? Un garçon était né ? Il avait un fils ? Qui lui ressemblait ?

Étourdi, il s'assit sur la première marche de l'escalier et fixa le papier, comme si celui-ci allait lui inspirer un comportement.

Lui, père ?

À qui parler ? Ses amis, les Aigles, le persifleraient, tandis que ses parents ne le croiraient pas. Attention, risque : si William ébruitait l'histoire, il accréditerait une paternité que rien ne prouvait. Mandine avait peut-être couché avec d'autres… Probable… Certain ! Devient-on père en trois nuits ? Soyons sérieux !

William froissa le papier et l'enfonça dans la poubelle jusqu'à ce qu'il disparaisse sous les détritus, renvoyant au néant ce que ces lignes débiles lui avaient appris. Mandine vivait dans un autre monde que le sien, un pays chimérique, dont le séparait un mur infranchissable, celui de la vraisemblance. William s'installa au royaume du déni.

Durant les jours suivants, il se concentra hargneusement sur ses études. Rater son baccalauréat reviendrait à céder à Mandine, pire, à épouser sa nullité crasse. Non seulement il devait l'obtenir, mais décrocher une mention très bien, sésame à la classe préparatoire qu'il visait.

Le lundi, la boîte aux lettres contenait une missive. Quoique couverte par l'écriture de Mandine, elle ne présentait ni l'apparence ni la consistance habituelles. Protégé par la conviction que ce message émanait d'un univers qui n'existait pas, William décacheta l'enveloppe et en sortit une photo.

Un bébé ouvrait des yeux étonnés sur l'objectif.

– Mon fils ?

Un instant, il contempla la chair de sa chair, parcouru d'un fulgurant frisson, mélange de joie et d'affolement ; puis il se ressaisit, expira, grimaça, haussa les épaules et enfouit sans précaution le carton dans sa poche.

– N'importe quoi !

Aiguillé par l'une des grandes forces de l'esprit, la mauvaise foi, il refoula ses émotions et oublia l'image.

Il l'oublia si bien qu'une semaine plus tard, sa mère le rejoignit à la salle de bains en la tenant entre ses doigts.

– Vide tes poches avant de me fourguer ton linge, j'ai failli mettre ce cliché dans la machine à laver !

Elle l'approcha de ses yeux et l'examina, soudain très intéressée.

– Curieux, murmura-t-elle.

– Quoi ?

– Où l'as-tu trouvé ?

– Pardon ?

Le sol se déroba sous lui. Elle insista :

– Je ne me souviens pas de cette photo. Je ne me rappelle même pas où on l'a prise. C'est pourtant toi, là, âgé de quelques jours… Ah, chez mes parents peut-être ? Tu l'as retirée de l'album de famille ?

– Je… je l'ai trouvée dans un vieux dictionnaire.

– Voilà pourquoi je ne la connaissais pas. Elle s'y était cachée durant ces années.

Elle la lui restitua, accompagnée d'une bourrade affectueuse.

– Un bébé épatant… Quand on voit ce que c'est devenu après, quelle dégringolade !

Elle s'éloigna en riant.

William demeura foudroyé, la photo à la main, puis, dès qu'il se fut assuré que personne ne l'épiait, il la déchiqueta, furieux. Pas de traces, pas de preuves, pas de réalité !

Les années passèrent.

Régulièrement, William découvrait dans la boîte des lettres de Mandine ; tout aussi régulièrement, il les jetait à la poubelle sans les ouvrir. Son silence soldait l'affaire.

Poussé par l'ambition, soutenu par ses parents, il réussit les études dont il avait rêvé, acquis des diplômes de haut niveau. Samuel Golden, l'oncle banquier qui n'avait cessé de couver son unique neveu d'un regard bienveillant, lui paya un master onéreux à Oxford, puis, convaincu qu'il avait détecté son successeur, l'engagea à ses côtés.

Au moment où William, nanti d'un salaire confortable, s'installa dans un loft-garçonnière près de la Bastille, ses parents en profitèrent pour changer d'appartement. Le courrier qui arrivait à l'ancienne adresse leur fut réexpédié pendant un an, puis le transfert cessa. Les mots de Mandine n'atteignirent plus William.

Il l'oublia.

S'il entamait des liaisons avec des femmes, il les interrompait promptement, torpillant toute relation sérieuse qui aurait voulu durer : son chemin d'ambitieux dédié au travail ne s'encombrait ni d'un mariage ni d'une famille.

Un soir de juin, au retour d'une fête, l'esprit alourdi par la fatigue, le corps ensommeillé par l'alcool, William perdit une seconde le contrôle de sa voiture qui s'écrasa contre un arbre.

Autour du tronc, les secours trouvèrent une carcasse de métal d'où ils eurent du mal à extirper William, inconscient, ensanglanté, les membres fracassés. Malgré la célérité de leur intervention, en dépit d'excellents médecins, on craignit pour sa vie tant le choc l'avait brisé.

William moisit cinq jours dans le coma, se réveilla, puis fut replongé dans un coma artificiel afin qu'on l'opérât.

Lorsqu'il revint au monde, son univers se réduisait à une chambre au service de réanimation où le rejoignaient ses parents, son oncle, Paul et deux maîtresses avec qui il avait gardé de bonnes relations. Chaque matin, des internes statufiés dans la déférence encerclaient le lit pour écouter le grand professeur de médecine qui commentait les résultats puis indiquait les procédures. Enfin, on l'avertit qu'il quittait le service et qu'une convalescence de plusieurs mois l'attendait dans un centre de rééducation spécialisé, à Garches non loin de Paris.

Au début, en découvrant les estropiés, il refusa d'appartenir à ce groupe où celui-ci affichait son club de football préféré sur son maillot, celui-là son superhéros de bande dessinée ; il ne se reconnaissait pas en ces invalides, hémiplégiques, paraplégiques, tétraplégiques. Heurté, il envisagea même de rester impotent au milieu de ses draps, sans jamais plus tenter un effort. Mais, petit à petit, entouré de kinésithérapeutes, d'ergothérapeutes, d'infirmiers et d'infirmières encourageants, il entama le long chemin qui devait le ramener à l'autonomie. Avec humilité, il se concentra sur ses infimes progrès : réapprendre la position assise, la station debout, l'équilibre, la marche, se traîner du lit au fauteuil, puis du fauteuil aux toilettes, et considérer cela comme une victoire. Il finit par investir toute son énergie dans la reconquête de ses capacités, au point que les médecins, d'abord déconcertés par son apathie, l'en félicitèrent : rarement récupération avait avancé à une telle vitesse.

Au sixième mois, le professeur Solal reçut William dans son bureau.

– Bravo, William. Je vous annonce que vous sortirez de Garches la semaine prochaine.

– Merci, docteur. Je garderai un souvenir fantastique de l'aide qu'on m'a apportée.

– Avant que vous ne réintégriez votre vie, je voudrais revenir sur un sujet que nous avions évoqué lors de votre installation ici, mais qui, à l'époque, n'avait pas retenu votre attention. Il s'agit des séquelles de votre accident et des multiples opérations.

Le mandarin se racla la gorge.

– Vous n'aurez pas d'enfants.

– Pardon ?

– Vous pourrez faire l'amour – peut-être vous l'avez déjà fait –, vous ne serez pas privé du plaisir, mais vos canaux d'extraction des spermatozoïdes ont été coupés, broyés. Vous n'engendrerez pas.

William baissa la tête. Le docteur Solal compatit :

– Rude coup, je sais.

William releva le menton en souriant.

– Je vous rassure : fonder une famille n'a jamais figuré dans mes intentions. En tout cas, jamais dans mes priorités.

– On change d'avis…

– Pas moi. Surtout si je n'en ai pas les moyens.

Il rit.

– Je suis comblé d'être en vie, docteur !

Lorsqu'il franchit le seuil de la banque Golden, William se sentit à la fois victorieux et fragile, envahi d'une ivresse inouïe, électrisante, désarmante, qui l'incitait à savourer chaque seconde. Son oncle l'accueillit, les larmes aux yeux, recouvrant la joie qu'il avait éprouvée autrefois à la maternité, mais l'enrichissant du fait qu'il connaissait désormais son neveu, un être digne d'amour, d'admiration, de respect. Si l'émotion d'une naissance exalte, rien ne dépasse l'émotion d'une renaissance car on la perçoit en pleine conscience. Après une brève étreinte, le labeur reprit et l'entente des deux hommes, nourrie de cette épreuve, se renforça.

William se passionna davantage pour son travail – ce qu'on aurait cru impossible tant il s'y était dévoué auparavant – dont il mesurait violemment le prix. Ce prix, ce n'était plus le salaire remis en fin de mois, c'était son pouvoir d'exister, sa capacité d'agir, l'oubli de son corps douloureux, la persuasion d'être utile, voire indispensable. Lorsque, concentré, minutieux, méthodique, calé devant son bureau, il consacrait des heures à régler mille problèmes et à emmancher une centaine de décisions, il se dédoublait : une forme de lui s'élevait au-dessus de ses épaules, tel un génie flottant, spectateur de son existence, qui lui glissait à l'oreille avec un sourire serein : « Tu vois : tu vis ! »

Une seule chose l'empoisonnait, le silence. Car le silence avait des odeurs d'hôpital. Aussi une immuable musique classique – Mozart, Bellini, Donizetti, Verdi, Bizet, Massenet – embaumait-elle son bureau.

Un soir d'avril, tandis qu'il s'apprêtait à quitter ses dossiers, son oncle l'appela au téléphone :

– Retrouve-moi à la salle de réunion.

Quatre étages en dessous, dans la pièce au luxe ostentatoire aménagée pour impressionner clients et collaborateurs, William rejoignit Samuel Golden qui siégeait au bout de la table en acajou. Pour la première fois, son oncle lui sembla vieux : son cou décharné soutenait mal sa tête qui retombait sur sa poitrine ; son corps avait rétréci dans son costume de laine noire ; ses paupières desséchées, rubéfiées sur leur bord, conféraient une fixité préoccupante à ses yeux ternis, et ses lèvres trop minces se teintaient d'un bleu morbide.

– Je fatigue, William. Depuis ton accident, j'ai saisi que personne n'est immortel, même moi, ce que je peine à croire.

Il grimaça en se tenant l'estomac.

– La famille n'a jamais constitué ma priorité. Réussir, bâtir mon empire, cette banque, a absorbé mon temps, usé mes forces. Bien sûr, j'aurais pu distraitement épouser une femme et, tout aussi distraitement, fabriquer des enfants avec elle. Or je ne sais rien faire distraitement, sans m'y donner tout entier. Résultat ? Je n'ai pas d'héritier.

Il tendit le menton vers son neveu.

– J'espère que tu n'as jamais compté hériter de moi.

William répondit avec une vigueur sincère :

– Jamais. J'y ai pensé, mais je n'y compte pas.

– Pourquoi ?

– Tu n'ignores pas, mon oncle, qu'aujourd'hui, on hérite de ses parents à l'âge de la retraite. Mieux vaut construire sa vie sans cela.

Samuel sourit en branlant du chef. William poursuivit :

– Enfin, tu as annoncé que tu léguerais ta fortune à l'institut Yad Vashem, en souvenir de nos aïeux morts en déportation. J'approuve cette intention.

L'oncle Samuel gratta ses mains couvertes de taches brunâtres puis soupira.

– Tu vaux davantage que le fils que je n'ai pas eu.

Il tourna son œil de rapace vers lui.

– Ces derniers mois, je t'ai étudié aux manettes, William : ton endurance, ta rapidité d'analyse, tes nerfs, ta justesse de décision, tout cela s'avère exceptionnel. Je t'admire.

– Merci.

– Je raisonnais à l'envers concernant ma famille. Me pencher vers les morts plutôt que vers les vivants... Par quelle aberration privilégier le passé ? Pourquoi m'intéresser à ceux qui me précèdent, pas à ceux qui me succèdent... ? Absurde ! J'ai donc changé mes dispositions testamentaires. Mon héritier, ce sera toi, si...

William frémit.

– Pardon ?

– Toi, si...

– Moi, si quoi ?

– Toi, si tu as un enfant.

William demeura bouché bée, en apnée. Samuel Golden acheva :

– Je te transmets ma fortune si, toi aussi, un jour, tu la transmets à ton tour. Ne proteste pas, j'ai signé mes volontés chez le notaire ce matin. Et ne me remercie pas non plus.

Samuel congédia William d'un geste de la main,

comme s'il avait traité une affaire courante, et s'enferma dans son bureau attenant.

William choisit de rentrer à pied. Malgré l'ankylose de ses hanches et de ses jambes, il avait besoin de réfléchir ainsi que seule la marche le permet.

Il avançait, tête baissée, de trottoir en trottoir, levant à peine un œil sur les feux avant de traverser une rue, passant du macadam aux pavés polis par les siècles, absorbé, insensible aux humains, ne croisant que des silhouettes privées de faciès. Il aimait Paris et son ciel sans étoiles peuplé de réverbères. Il aimait Paris la nuit, quand on le perçoit davantage avec le nez, les oreilles et la peau qu'avec les yeux. Il aimait Paris humide en bord de Seine, sec entre les façades anciennes, Paris surchauffé par les émanations du métro lançant son haleine charbonneuse à travers les grilles, Paris putride auprès des hautes poubelles, Paris bruyant, brouillon, grondeur, automobile, aussi tapageur qu'une fête foraine, puis subitement taciturne au détour d'une rue, d'un calme apparent, un graffiti de silence composé de mille sons furtifs, l'ampoule qui grille, la mobylette qui crachote, la radio ronronnant au fond d'une loge, le rat infiltré dans l'égout, le piano feutré dont les notes coulent depuis une mansarde lointaine. Il aimait Paris tranquille, désert, mais pas mort.

Les pas de William rythmaient sa méditation, l'amenant à l'essentiel. Au cours de son périple, l'évidence s'imposait : il expliquerait à son oncle que son projet se brisait contre un obstacle anatomique. Certes, il pouvait rencontrer la femme de sa vie ; certes, il pouvait l'épouser ; mais jamais il n'aurait d'enfants, ainsi qu'on le lui avait signifié à Garches. William estima devoir la vérité à Samuel. S'il la lui avouait, son oncle statuerait : soit maintenir sa position, soit lui transmettre la banque quand même. Oui, Samuel devait savoir. Ensuite, peu importait son choix, William l'accepterait.

Il longea encore le fleuve d'où montait une fraîcheur glaciale. Plus son corps se fatiguait, plus son esprit s'allégeait. À mesure qu'épaississaient les ténèbres, il voyait clair.

« Et si..., songea William avec espoir, et si l'oncle se montrait favorable à un compromis ? » Il adopterait des enfants... ou s'unirait à une femme qui en élèverait un d'un premier mariage... Peut-être négocierait-il ?

Lorsqu'il arriva au bas de son immeuble, aucun clocher ne sonnait plus, Paris avait perdu son pouls, mais lui avait trouvé ce qu'il exposerait à son oncle.

Ce matin-là, après deux heures de repos – il s'était effondré au milieu du lit, habillé et chaussé –, William se rendit à la banque, plein de ce qu'il désirait dire.

À peine s'était-il approché du bâtiment, qu'il aperçut une agitation inhabituelle devant l'entrée monumentale. Policiers, pompiers, cadres, employés pullulaient. En repérant son véhicule, Paul Arnoux se précipita vers William et n'attendit pas qu'il en sortît pour lui annoncer la funeste nouvelle : cette nuit, le cœur de Samuel

Golden avait lâché. On venait de le découvrir, rigide, dans son lit.

Les poignets crispés sur le volant, William demeura trop stupéfait pour éprouver une émotion. Pendant que Paul continuait à lui parler pour le ramener à la réalité, un sentiment de culpabilité brisait sa torpeur et l'envahissait. Aurait-il dû s'alarmer, la veille, de l'état de Samuel ? Pourquoi avait-il écarté l'inquiétude qui l'avait traversé ? N'aurait-il pas fallu appeler un médecin au lieu de mener cette conversation ? Il songea à sa randonnée nocturne dans Paris durant laquelle, uniquement occupé de lui-même, il n'avait pas soupçonné l'agonie de son oncle.

Il se détesta.

Les jours suivants enclenchèrent la mécanique des funérailles selon les dispositions de Samuel Golden qui, à l'évidence, avait prévu la proximité de sa fin. William y participa en automate, le visage blafard, le corps raide, le verbe rare, ce que tout le monde prit pour un profond chagrin.

La mauvaise conscience le rongeait. Aussi, à la lecture du testament, fut-il presque soulagé d'interrompre le notaire pour lui crier qu'il n'hériterait pas puisqu'il n'avait pas d'enfants.

L'officier public fronça les sourcils.

– Écoutez votre oncle jusqu'au bout. Il vous concède deux ans pour revenir vers moi avec un enfant et la preuve de sa filiation par test ADN.

– Inutile d'attendre, vous dis-je ! Je ne peux engendrer depuis mon accident de la route.

– En êtes-vous certain ?

– Certain ! Donnez tout aux associations.

– Je vous laisse la possibilité de tenter votre chance, monsieur Golden. Pourquoi renoncer ? La science a augmenté nos capacités de procréer. De nos jours, grâce à…

– Je n'essaierai même pas.

Le notaire tiqua, démuni de sympathie envers un homme qui refusait des millions, puis conclut d'une voix péremptoire :

– Peu importe. Nous patienterons deux ans. La loi nous oblige à respecter les intentions du défunt.

Selon les prescriptions de son oncle, William devenait le président-directeur général de la banque et devait exercer sa régence deux ans. Après, tout se redéciderait…

William saisit les rênes de la société avec vigueur et efficacité, soucieux de servir la mémoire de son oncle. Les marchés subirent alors de sinistres turbulences, liées aux bulles spéculatives qui crevaient, aux règles européennes qui changeaient, aux agioteurs qui profitaient de la tempête pour piller les navires, mais, au milieu des établissements financiers sombrant les uns après les autres, William garda le cap et mena le vaisseau Golden à bon port.

La date fatidique approchait. Seul Paul, le fidèle et efficace Paul, connaissait les clauses du testament.

Un soir, partageant un whisky dans le bureau de William après une journée agitée, il s'inquiéta :

– Je redoute l'avenir, William.

– Quel avenir ?

– La succession.

– Ne te tracasse pas. Les actions de la banque passeront dans les mains d'associations caritatives, mais elles me reconduiront à sa tête, je suppose.

– Sans doute. Pas à coup sûr... De toute façon, tu ne composeras plus, à toi tout seul, le conseil d'administration, tu devras satisfaire les actionnaires. Or l'on sait très bien que les actionnaires sont myopes, qu'ils ne réclament qu'une chose, des dividendes, même lorsque la logique d'une entreprise exige l'investissement. En ce moment, le bateau tangue encore ; s'ils contrecarraient tes choix, voire si seulement ils les retardaient, le naufrage aurait lieu. De surcroît, combien dureront ces temps incertains ?

– Le conseil d'administration ne changera pas de capitaine pendant l'orage. Je reste optimiste.

– Vraiment ?

– De nature.

– Ce qui ne justifie pas l'optimisme.

– Je veux être optimiste.

– De l'entêtement ! Tu ne me rassures pas. *Aut Caesar, aut nihil.*

La discussion se poursuivit, libre, franche, sans solution évidente. Les deux hommes s'appréciaient depuis l'adolescence et se réjouissaient de parcourir côte à côte le chemin de leur vie.

– Où vas-tu avec tes filles, cet hiver ? s'enquit William.

– Au Cluzet. Tu te souviens ? Mon père possédait un chalet là-bas et nous y avions séjourné un mois, l'été d'avant notre baccalauréat.

L'image jaillit dans le cerveau de William : Mandine ! Mandine, son amoureuse de trois jours. Mandine et ses lettres suppliantes. Mandine et son prétendu fils…

Le fils de William ?

Le père Zian se tenait droit sur ses jambes maigres, soutenu par la canne qu'il avait plantée devant lui, sévère, inamical, empêchant quiconque de passer. Un anorak cramoisi, qui donnait à son torse un volume qu'il n'avait pas, le rendait menaçant, gardien à la peau rissolée, au crin blanc, à la moustache taillée aux ciseaux, obstacle campé devant les portes de la Savoie.

La salle d'attente demeurait vide. Moins fréquentée chaque année, elle n'employait plus ni guichetier ni chef de gare. Un distributeur de billets permettait aux usagers d'embarquer tandis qu'une poubelle offrait ses services.

Sortant du train, vêtus de manteaux en cachemire sur leurs costumes velouteux, Golden, Müller et Johnson, les seuls voyageurs, avancèrent vers le père Zian.

Il aboya :

– Vous ne rencontrerez ni ma fille ni mon petit-fils.

– Bonjour, cher monsieur Thievenaz, s'exclama le premier avocat.

– Nous sommes ravis de vous connaître enfin, poursuivit le second.

D'un œil brasillant, le patriarche les toisa puis dirigea son regard sur William Golden. Qui voyait-il ? Un étranger dont il découvrait le visage ? L'ordure qui avait abusé sa fille ? Le baiseur en fuite ? Le millionnaire qui allait réparer sa faute ? Ou repérait-il en William des traits qui appartenaient à la face familière de son petit-fils ? Son expression restait indéchiffrable.

– Suivez-moi.

Silencieux, il se retourna, sortit de la gare et emprunta l'unique rue du village encaissé entre les montagnes. La chaussée grise, défoncée, avait subi les rigueurs de l'hiver ; des graviers jetés pour attaquer la neige roulaient sous les chaussures. Le vieillard claudiquait, digne, lent, voire lambinant, comme s'il se plaisait à régler le pas des Parisiens sur le sien.

Il entra dans un café dont le nom – *Le rendez-vous des amis* – glaça William par son ironie.

On s'installa sur des tabourets autour d'une table sommaire. La pièce, sans goût ni grâce, couverte de chaux grise sur les murs et de carreaux au sol, empestait le fromage auquel se mêlaient des relents de vin cuit, ainsi que le parfum acide d'un nettoyant javellisé. Les Parisiens se résolurent à s'accouder sur la toile cirée poisseuse. Autour d'eux, rien de notable, sinon une fenêtre étriquée encombrée de plantes grasses, de poupées tricotées au crochet et, derrière la porte d'entrée, une monumentale horloge comtoise en noyer, dont le balancier sommeillait entre ses formes de mandoline.

Le père Zian commanda à la serveuse une bouteille de cidre avec quatre gobelets sans se soucier des désirs de chacun.

Il prit le temps de boire, s'essuya la moustache puis, reposant son verre en grès, s'exclama en direction de William :

– Pourquoi ?

– Pourquoi quoi ? répéta William, cauteleux.

Il hésitait sur le sens de l'interrogation : le père Zian lui demandait-il pourquoi il avait fui ou pourquoi il revenait ?

Dur, le père Zian s'appesantit :

– Pourquoi partir ?

Cette question gênait moins William que l'autre.

– J'étais très jeune.

– Assez vieux pour coucher avec Mandine.

– Trop jeune pour la paternité.

– Et pour la maternité ? Mandine a le même âge que toi.

La réplique avait claqué tel un coup de fouet ; cependant, au-delà de l'agressivité, William perçut la possibilité d'une entente sous le tutoiement ; quoique critiqué par le père Zian, il pourrait être accepté.

– Nous avons fait l'amour, rien d'autre. Nous n'avions pas l'intention de nous marier ni d'éduquer des enfants.

– Parle pour toi.

William baissa la tête, conscient de sa mauvaise foi. Mandine avait toujours supposé se lier à « son prince », et il avait feint de ne pas entendre, puis d'oublier.

– Après mon retour à Paris, je n'ai pas cru ce que me disait Mandine. Ou je n'ai pas voulu y croire. Enfin si, puisque j'ai donné de l'argent à Mandine afin qu'elle aille avorter à l'hôpital.

Le père Zian haussa les épaules et fixa le soleil au-dehors. Quelques secondes, il sembla se concentrer sur le ciel clair, en renifler la lumière, loin de la compagnie des hommes. Le front impassible, les yeux aussi bleus que le zénith, quasi absent, il finit par grommeler d'une voix gutturale :

– Vous, les Parisiens, vous nous méprisez parce que nous vivons avec nos bêtes. Pourtant, vous devriez les observer, les bêtes, vous en tireriez des leçons. Chez les bêtes, jamais un mâle n'a oublié de nourrir ni d'élever ses petits.

William détourna le visage, touché, incapable de riposter. Devant le ton féroce du père Zian, Müller et Johnson se turent quelques secondes par décence, puis entamèrent leur affaire.

– Monsieur Thievenaz, je vous prie de considérer que notre client regrette aujourd'hui son comportement d'hier, qu'il en a honte, raison de sa venue ici, et qu'il entend réparer en prenant des engagements.

– Réparer ? On ne répare pas les humains comme on répare une voiture ou un grille-pain.

– Ainsi que l'indiquait notre courrier, notre client s'apprête à reconnaître l'enfant, à pourvoir aux frais de son éducation et à verser une somme conséquente à la mère.

– Conséquente pour qui ? Pour nous ou pour lui ? Votre papier n'en disait rien.

– Un million d'euros, énonça Müller.

– Un montant substantiel pour les deux parties, ajouta Johnson.

– Évidemment, nous procéderons, au préalable, à un test ADN, conclut Müller.

D'abord surpris, incrédule, le père Zian crachota, se troubla. Abandonnant sa contemplation de la nature, il scruta William en quête de confirmation. Celui-ci approuva de la tête. Le père Zian fronça son front couvert de ridules.

Inquiet, Müller intervint :

– L'offre de monsieur Golden nous paraissait trop généreuse, mais il l'a maintenue car il la juge proportionnée au préjudice.

– « Monsieur Golden »…, murmura le père Zian, qui mâchouilla avec mépris le pompeux vocable.

– Refusez-vous de donner sa chance à monsieur Golden ? réitéra Johnson.

Comme si les avocats n'importaient pas plus que des mouches, le père Zian répondit à William :

– Ce n'est pas à toi que je donne une chance, mais à Mandine et à Jébé.

William gravissait le sentier rocailleux qui menait au chalet du père Zian, lequel avait ordonné aux avocats de mariner en bas.

En cette journée radieuse, aucun nuage ne s'accrochait aux cimes. Les reliefs, rochers et sommets, se détachaient avec pureté pendant que, bavardant avec les oiseaux, le torrent roulait ses eaux vives dans son lit caillouteux.

Le père Zian avait changé d'allure, il se hâtait avec lenteur, le pied sûr, l'équilibre précis, malgré son invalidité. Derrière lui, William stoïque, surmontait ses raideurs pour le suivre.

Il tentait de discuter avec le vieillard :

– Comment s'appelle l'enfant ?

– Jébé. Tu ignores son prénom ?

Douché par l'aigreur du ton, William attendit pour le questionner :

– Un prénom curieux, Jébé…

– Une abréviation.

William patienta une cinquantaine de mètres avant d'insister :

– Quel est son prénom complet ?

– Tu devrais le savoir. Mandine l'a baptisé ainsi à cause de toi.

– Quoi ?

– James Bond ! tonna le père Zian.

Il stoppa, vira sur les talons et pointa un index accusateur sur lui.

– Mandine dit que c'est ton héros préféré.

William se souvint des romans d'espionnage qu'il lisait à l'époque où il séduisit la jeune fille et la confusion l'empourpra.

– Ah ! conclut le père Zian, comme si William avouait sa responsabilité.

Le vieillard reprit l'ascension avec une fermeté rageuse.

– Moi, je l'appelle Jébé. Je n'avais jamais imaginé que j'aurais, comme descendant, un James Bond Thievenaz.

Pantelant, soucieux de ne pas traîner malgré sa hanche endolorie, William se tut, corrigeant mentalement l'état civil de son fils en James Golden, ou James B. Golden. En contrebas, jailli d'une étable, un homme poussait les vaches dans les pâturages. Émoustillées, les jeunettes galopaient en faisant carillonner leurs clarines, tandis que les douairières broutaient l'herbe par larges touffes.

– Les avez-vous prévenus que nous venions ?

– Oui.

Les réponses laconiques du vieillard enlisaient la conversation. William s'irritait qu'il le traitât ainsi, en freluquet de seize ans.

Plusieurs minutes s'écoulèrent. William, en nage, se risqua :

– Elle m'en veut, Mandine ?

Le père Zian haussa les épaules, le faciès ulcéré.

– Non.

Ils parvinrent au niveau d'un pylône et recouvrèrent leur souffle. Autour d'eux, le printemps se développait à deux vitesses : sur ce versant, il avait déjà verdi les prairies qu'éclairaient çà et là de drus pissenlits ; sur celui d'en face, lequel profitait moins du soleil, la terre affleurait encore et seules de pâles primevères s'adossaient aux pierrailles.

– Mandine ne m'en veut pas ? répéta-t-il, interloqué.

– Mandine, c'est Mandine.

Le père Zian estimait en avoir fini avec cette question, puis il réfléchit en détaillant les traits de William.

– Elle t'attendait. Elle maintenait que tu reviendrais, même si je l'engueulais chaque fois qu'elle disait ça.

Voilà maintenant qu'elle pleure depuis deux jours, tellement elle est heureuse.

– Heureuse d'avoir eu raison ?

– Heureuse de te voir.

Paniqué, William frémit ; une secousse spontanée de son corps révélait un désir de fuite. Le père Zian perçut ce réflexe et un éclair sardonique traversa ses prunelles.

– Rassure-toi, je lui ai interdit de se jeter sur toi. Qu'elle te lèche comme une chienne qui fête son maître, ça me débecterait… Je lui ai ordonné de penser au petiot. Rien qu'au petiot. Elle a compris.

Sur le chemin boueux, les chèvres qui étaient allées boire au bachal en bois avaient laissé leurs traces : à cet indice, William se rappela que le chalet se dressait cent mètres plus loin, derrière le talus.

Son cœur se serra.

Mandine se tenait devant la maison, un enfant à la main. Sans doute les avait-elle aperçus en train de monter… ou stationnait-elle là, confiante, depuis le matin.

Ni le temps, ni le chagrin, ni la maternité n'avaient entamé sa beauté, son naturel enivrant. Elle rayonnait, superbe, pleine de force et de vie, un sourire extasié ouvrant ses lèvres charnues.

William rééprouva un éblouissement vieux de dix ans puis se ressaisit. Non, il n'était pas venu pour Mandine, mais pour son fils. Hors de question que l'erreur d'autrefois se reproduisît.

Il s'approcha au ralenti, les pieds plombés, les paumes en sueur, redoutant chaque seconde de se tromper – soit trop encourager Mandine, soit trop la dédaigner –, appréhendant le jugement de cet enfant inconnu, qui, droit dans son pull orange, contemplait le monsieur qui leur rendait visite.

Chacun s'immobilisa. Le garçon devenait le centre du monde. Les trois adultes guettaient sa réaction.

Mandine, réprimant mal son excitation, le visage tendu par la joie, les yeux écarquillés, fixait l'enfant en lui indiquant William de la main, comme si elle lui offrait le plus précieux des cadeaux.

En un éclair, William cerna le contexte. Mandine pardonnait. Mieux, elle se situait au-delà du pardon, elle avait effacé l'ardoise du passé. Pour elle, seul l'instant comptait, qui annulait les malheurs précédents ; à cet instant, son Jébé retrouvait enfin son père qu'elle lui présentait fièrement. Son père était un bon père. Son père était un monsieur très beau, très intelligent, très bien, qui avait réussi dans la vie.

L'enfant percevait qu'il vivait un moment crucial. Son regard ripait de sa mère à son grand-père, puis à William. Il hésitait. Trop de pressions l'engourdissaient.

William s'avança et, sans réfléchir, s'agenouilla devant lui.

– Bonjour, murmura-t-il.

– Bonjour, répondit l'enfant d'une voix flûtée, rassuré que la scène redevînt normale.

Il embrassa respectueusement l'adulte sur la joue puis lui demanda, les yeux pétillant d'une admiration qu'il s'apprêtait à donner :

– C'est vrai que vous êtes un prince ?

*

Dans le train qui le ramenait à Paris, les pupilles attachées aux câbles électriques qui, bordant la voie, rythmaient sa rêverie en douceur, William reposait, brisé par les émotions de cette journée. Les deux avocats, requis par d'autres affaires, l'avaient abandonné quelques minutes pour un conciliabule.

Sa jeunesse lui semblait bien loin. Dix ans le séparaient de cet été-là, de Mandine, de son corps agile, pétulant, de leur sensualité torride et innocente. Depuis ce mois d'août, il s'était battu pour ses examens, ses diplômes, ses concours, battu pour s'imposer à son oncle, battu pour remarcher après son accident, battu pour empêcher la ruine de la banque Golden ; oui, depuis lors, il n'avait mené que des combats. Or là, sur le promontoire des Alpes, il avait découvert qu'on pouvait se contenter de vivre, de respirer, de ressentir la caresse du vent, d'ouvrir les yeux pour admirer le monde, de se lever le matin et se coucher le soir ; on y attendait dix ans quelqu'un sans que cela agaçât plus que cinq minutes de retard à Paris.

Son fils lui plaisait, Mandine lui plaisait. Ils demeuraient néanmoins deux inconnus. Des étrangers. Sous la surveillance du père Zian, Mandine et William ne s'étaient pas frôlés, obéissant à une retenue naturelle chez William, commandée chez Mandine.

Müller et Johnson se rassirent devant lui. En fermant sa mallette, Johnson brandit le kit dont il s'était servi avec Jébé et William.

– On nous livrera le résultat de vos ADN comparés dans huit jours.

William ne cilla pas. Lui n'avait pas besoin d'un test de filiation : Jébé lui ressemblait, ou plutôt – parce que personne ne possède une idée objective de soi – il s'apparentait à Jean, son cousin du côté maternel, cousin qui passait souvent pour son frère. L'hérédité ne faisait aucun doute. Cette certitude créait en lui des sentiments variés, inconfortables : puisqu'il était le père, il était aussi un salaud. Pourtant, il ne se forcerait pas vis-à-vis de Mandine. Il l'avait désirée autrefois, jamais davantage, pareil aujourd'hui, inenvisageable de lui accorder la moindre place auprès de lui. Qu'importait Mandine ! Il avait déjà l'habitude de la repousser, d'ignorer sa souffrance, avec elle, il se limiterait à suivre sa ligne précédente. Mais avec l'enfant ? Devait-il aimer, désormais, ce fils qu'il avait négligé ? Le seul qu'il aurait jamais ?

Il aborda le sujet avec ses hommes de loi :

– Que me conseillez-vous, pour mon fils ?

– Je ne comprends pas, monsieur Golden. Aurions-nous oublié un élément dans l'accord que nous avons rédigé pour les Thievenaz ?

– Je n'évoque pas les aspects juridiques, je parle… des relations. Il faudra que j'aille le voir, peut-être… Que je devienne père autrement qu'en versant de l'argent… Que je l'invite à Paris… Avec ou sans sa mère, là réside le problème… Et si je sollicitais un entretien du juge pour une garde qui…

L'arrêtant de la main, Müller affirma avec autorité :

– Soyons clairs : en ce qui concerne la succession de votre oncle, il suffit que vous ayez un fils, vous n'êtes pas obligé de l'aimer.

Johnson approuva, amusé, puis les deux associés s'esclaffèrent.

Lâche, William se cala la tête entre les paumes pour cacher sa consternation : comment pouvait-on jauger la situation avec autant de cynisme ? Sa décision s'imposa : rien que pour contrarier ces monstres au sang-froid et ne surtout pas leur ressembler, il aimerait son fils.

James et William s'apprivoisèrent.

Après le résultat positif qu'apporta le test de paternité, les régularisations officielles s'étaient enchaînées, menées avec efficacité par Müller et Johnson d'un côté, par le père Zian de l'autre. William Golden hérita de la colossale fortune de son oncle, laquelle incluait la banque. Il remplaça sa garçonnière par un hôtel particulier dans le 16e arrondissement, entretenu par une escouade de domestiques.

William travaillait toujours autant, mais un souci nouveau s'était immiscé dans sa vie : son fils.

Tous les quinze jours, il se rendait le dimanche dans les Alpes et dédiait quelques heures à l'enfant. Mandine semblait mendier de l'attention, voire de l'amour, mais le père Zian veillait et l'empêchait de céder à sa nature affectueuse. Si elle en éprouvait du dépit, sa frustration était effacée par la fierté qu'elle voyait se dessiner sur le visage de Jébé, l'enfant autrefois sans père qui, maintenant, fréquentait son héros. D'autant que William, qui voyageait en jet privé, emmenait souvent son fils survoler les sommets et fendre les nuages.

Jébé atteignait ses dix ans. Il devait partir au collège, ce qui signifiait, pour les petits montagnards du coin, devenir interne en ville, dans un établissement lointain. Mandine le savait et frissonnait à l'idée de ne profiter de son fils que le week-end.

En juillet, William s'arrangea pour se trouver en tête à tête avec le taiseux père Zian qui réparait la porte de l'étable.

– Je me suis renseigné sur les collèges de la région. Très peu offrent un internat, et pas les meilleurs.

– Du moment que Jébé travaille bien.

– Il y a une différence entre briller dans un établissement médiocre et triompher dans un établissement d'excellence. Au royaume des aveugles, les borgnes sont rois.

Le proverbe fit grand effet au père Zian, qui cessa de bricoler.

– Que conseilles-tu ?

– Qu'il ne devienne pas interne.

– Pardon ?

– Qu'il vive chez son père à Paris, qu'il fréquente, comme moi autrefois, le collège Stanislas, le lycée Louis-le-Grand, et qu'il vous rejoigne les week-ends et les vacances.

Le père Zian grimaça, claqua la langue deux ou trois fois, puis, après une forte aspiration, cracha et tendit la main à William : il consentait – Mandine, sous tutelle, n'ayant pas droit au chapitre.

Lorsqu'il revint, deux semaines plus tard, William constata que Mandine avait changé. Les yeux rouges, le nez gonflé, elle regardait William de côté. Le père Zian révéla qu'elle sanglotait depuis qu'il lui avait appris ses dispositions. Si l'entrée de son fils en pension lui déplaisait auparavant, la dernière situation ajoutait une trahison : cette fois, ce n'était pas l'abstraite société avec ses obligations d'instruire qui lui volait son enfant, c'était un homme, un homme concret, un homme plus riche, plus futé, plus influent qu'elle, l'homme qui ne s'occupait de Jébé que depuis quelques mois alors qu'elle lui avait consacré dix ans. Et, couteau supplémentaire dans la plaie, Jébé se réjouissait : vivre avec son père, habiter

Paris, s'inscrire dans un lycée prestigieux l'enchantaient ! Elle ne le reconnaissait plus dans ces désirs-là. Quel rapport entre ce citadin et le petit bout de chair sensible et sans mots qu'elle avait nourri à son sein ? Avec le bambin qui courait se blottir dans ses bras en criant un « maman » qui, à lui seul, résumait toute la beauté du monde ? Tandis qu'il lui restait quelques jours auprès de Jébé, elle l'estimait déjà parti tant il ressemblait peu à celui qu'elle adorait depuis son premier cri.

Effrayé par son attitude d'animal traqué, William fit preuve de lâcheté. Fin août, alors qu'il devait aller chercher son fils pour l'établir à Paris, il prétexta des obligations professionnelles et proposa au loyal Paul de descendre en Savoie à sa place.

Le dimanche soir, amené par Paul, James – c'est ainsi que William l'appelait – découvrit avec émerveillement l'hôtel particulier de son père, sa chambre gigantesque, la piscine, la salle de sport, le personnel à son service. William eut beaucoup de peine à le coucher tant il trémulait d'exaltation.

L'enfant endormi, les deux amis s'installèrent au salon.

– Un billard ?

– Un whisky double pour me remettre, dit Paul.

– Te remettre de quoi ?

Paul lui raconta les horribles scènes qui s'étaient produites en Savoie.

Lorsque, la veille, Paul était arrivé au chalet, Mandine avait compris qu'il venait lui enlever son fils et avait réagi comme une bête sauvage. En poussant un hurlement suraigu, elle s'était jetée sur Paul, l'avait frappé, griffé, battu, résolue à le chasser. Sa force avait pris Paul de court. « Elle m'aurait tué si le père Zian n'était pas intervenu. » Lorsque le vieillard était parvenu à les séparer, elle avait foncé à l'étage, saisi son fils, et s'était enfermée dans sa chambre à double tour.

– James pleurait, se débattait, la suppliait de le lâcher, mais rien n'atteignait plus son cerveau de fauve. Elle criait à travers le battant : « Jamais ! Jamais ! Jamais ! » En colère, Zian a rameuté des renforts. Avec quatre voisins, il a défoncé la porte, arraché son petit-fils à sa fille, et les paysans ont maîtrisé Mandine à l'aide d'une sorte de tablier-camisole qui lui bloquait les poignets dans le dos. Son comportement est alors devenu tragique : Mandine s'est précipitée sur le mur, la tête en avant. « Rendez-le-moi ! Rendez-le-moi ! » Son crâne saignait, elle continuait à taper la cloison. Une mare de sang. À cinq, nous sommes parvenus à la dompter, le temps que les pompiers arrivent. Ils lui ont administré un sédatif en piqûre. Elle résistait. Après une triple dose, elle s'est enfin endormie en gémissant. J'ai parqué ton fils dans un hôtel, à la frontière suisse, où elle n'irait pas le reprendre. James tremblait ; même s'il blâmait la réaction de sa mère, il vibrait en empathie avec elle, il se demandait s'il n'avait pas tort de partir et si elle n'avait pas raison de s'y opposer. Il bafouillait, il sanglotait, il geignait, il se grattait. Je me suis permis de lui donner un cachet pour qu'il se repose.

Paul soupira avant d'enchaîner :

– Ce matin, je suis donc remonté au chalet chercher ses affaires. Et là, ce fut glaçant… Mandine, pieds nus, vêtue de la même façon que la veille, assise par terre, m'attendait derrière la porte d'entrée, livide, grise, exsangue, les paupières vineuses, les lèvres sèches, et me contemplait avec la placidité d'une morte, comme si elle séjournait déjà dans l'au-delà. Elle m'a suivi partout en s'appuyant contre les murs ; sans dire un mot, elle m'a vu plier les tenues de son fils, les ranger dans des valises, empaqueter ses jouets. Le père Zian la surveillait du coin de l'œil, mais – je le devinais – il craignait, comme moi, davantage son calme que sa fureur antérieure. Pendant que deux malabars que j'avais mandatés emportaient malles et sacs au village, j'ai accepté la proposition du père Zian de partager une tarte aux prunes. Mandine nous a laissés nous installer sur les fauteuils, à côté de l'âtre, puis elle est sortie s'aérer, le visage vide. Nous devisions en buvant le café avec une goutte de marc lorsque nous avons entendu des aboiements forcenés. Zian s'est levé aussitôt. « Gust ! – Pardon ? – Gust, son chien. Il est tellement vieux qu'il n'aboie plus depuis des mois ! » Flairant le pire, Zian s'est rué à l'extérieur, il a repéré l'origine du bruit et nous avons couru jusqu'à l'étable. Au-dessus d'un molosse jaune qui jappait de désespoir, Mandine pendait, le cou serré par une sangle qu'elle avait attachée à la poutre centrale. Elle frétillait, encore vivante. En quelques secondes, Zian m'a lancé une hache, j'ai grimpé sur la charpente en utilisant l'échelle dont elle s'était servie et j'ai coupé le lien. Le corps de Mandine est tombé sur la paille. Le chien s'est empressé de lécher sa maîtresse et Zian s'est jeté au sol et a élargi le nœud. Mandine, congestionnée, le souffle restreint, la voix âpre, répétait à son père qui la berçait entre ses bras : « Laisse-moi. Je recommencerai. Laisse-moi. – Non. – Si ! » Un coup de génie a traversé le père Zian : il l'a lâchée, il s'est redressé, il l'a regardée et lui a envoyé soudain une gifle retentissante. « Égoïste ! – Quoi ? » a gémi Mandine en se frottant la mâchoire. « Tu dois rester en vie pour lui. – Pour qui ? – Pour ton fils. Un jour, il aura peut-être besoin de toi. » Mandine a changé de couleur. Elle ne remuait plus, mais une maturation intérieure ravivait la Mandine que nous connaissions, forte, impétueuse. Le sang revenait en elle. Lentement, les larmes ont ruisselé sur ses joues, sur son cou meurtri. Elle pleurait de soulagement, souriait derrière ses sanglots. « Tu as raison, papa. Un jour, Jébé aura besoin de moi. » Le père Zian a approuvé, elle s'est lovée entre ses bras, il l'a caressée avec une tendresse bourrue, sans sensualité, celle d'un paysan qui rassure une jeune chèvre, puis, en la soutenant, il est rentré au chalet avec elle. Une heure plus tard, elle chantonnait en se douchant. Nous l'entendions d'en bas, soulagés, convaincus qu'elle n'attenterait plus à sa vie.

Paul avait achevé son récit et les deux amis se turent, chacun songeant au drame de Mandine et de son enfant.

– Tu me ressers ? demanda Paul en tendant son verre.

– Bien sûr.

En versant le liquide doré, William chuchota :

– Merci, Paul. Je me doutais qu'il se produirait quelque chose comme ça et je ne me sentais pas capable de l'affronter.

– Il valait mieux que ce soit moi. Maintenant, tu vas sereinement offrir le meilleur à ton fils.

Paul se leva.

– *Ite, missa est.* Ma famille m'attend. Rare que je passe un dimanche loin d'elle… Et après une telle expérience…

William le raccompagna jusqu'au perron. Dans la rue, la lumière sale des réverbères supprimait les couleurs en simplifiant les formes. Quelques joggeurs cagoulés déboulaient du bois de Boulogne, slalomant entre les bourgeois qui promenaient leurs chiens.

– Encore merci, Paul.

Paul Arnoux enfonça son chapeau sur sa tête, ferma son manteau, protégea son cou avec une écharpe en soie. Un vent frais annonçait l'automne parisien. Pendant qu'il enfilait ses gants, Paul, peu décidé à affronter ce monde inhospitalier, murmura :

– Je n'avais jamais vu ça, tu sais.

– Quoi ?

– Un amour pareil. Un amour si fort. Si puissant. Si violent. Elle tuerait pour son fils. Elle se tuerait pour son fils.

N'arrivant pas à se résoudre à partir, il attrapa la main de William.

– J'ai honte. Pas honte de ce que j'ai fait pour toi, car je suis persuadé que nous agissons pour le bien de ton enfant. Mais honte de moi… Je ne me battrai jamais comme Mandine pour mes filles.

– Tu es civilisé, Paul. Pas elle.

– Oui ?

– Nous sommes civilisés, toi et moi.

Paul hocha la tête, sceptique.

– Nous sommes civilisés comme une tisane : un brin de sentiment noyé dans de l'eau chaude. C'est tiède, c'est fade.

En évitant William, il le salua, puis, d'un pas accablé, s'éloigna dans la nuit.

James s'habitua à sa vie parisienne. L'attention de son père, la gentillesse du personnel, le luxe qui aplanissait tous les soucis, voilà qui l'aida à prendre des repères et à ne plus palpiter en évoquant la Savoie. Comme, éveillé, sagace, il désirait obtenir l'admiration de William, il intégra studieusement sa classe de sixième au collège Stanislas.

Toutes les deux semaines, William l'envoyait par avion en Savoie. Au début, la différence entre Paris et les montagnes ne gêna pas James ; il se targuait au contraire d'appartenir à des mondes distincts, d'autant qu'il y rencontrait partout de l'amour, celui de son père, ou celui de sa mère et de son grand-père. Il mit longtemps à percevoir qu'il évoluait entre l'extrême richesse et la pauvreté – le père Zian avait déposé l'argent de William à la banque et n'y touchait pas, le destinant aux vieux jours de sa fille.

Puis des broutilles le heurtèrent. Sa mère, qui courait toujours dans les alpages, le pied alerte, le genou sûr, ne saisissait rien à ses études, ne bronchait pas aux histoires qui l'égayaient, regardait les films qu'il préférait avec de grands yeux hypnotisés sans réagir, l'écoutait à peine lorsqu'il lui parlait, trop avide de le serrer contre elle. Il invoqua des invitations chez ses camarades pour écourter ses séjours en Savoie. À l'adolescence, la tendresse physique de Mandine, ses baisers, ses embrassades, ses caresses, les siestes qu'elle l'obligeait à faire dans ses bras le mirent mal à l'aise et il se détacha de sa mère. Désormais, il comprenait mieux son père et s'en faisait mieux comprendre. Providentiellement, il n'avait pas honte d'elle, car il la fréquentait en Savoie, dans son univers à elle, sans témoin.

William appréciait que son garçon grandît auprès de lui. Certes, il repérait ses menues imperfections – poltronnerie, snobisme, appétit de luxe –, mais aimer quelqu'un, c'est aimer aussi ses défauts.

Un matin, un détail le troubla. Un domestique venait d'apporter le courrier sur la table du petit déjeuner mais, engagé dans une négociation scabreuse au téléphone, William n'y prêta aucune attention et, le combiné collé à l'oreille, s'éloigna au fond de la pièce. Un miroir s'y nichait, dans lequel, tout en argumentant, il vérifia son nœud de cravate ; or, dans ce même cadre, il aperçut James qui se faufilait derrière lui, consultait les enveloppes, en subtilisait une, orangée, et se sauvait. L'adolescent avait effectué cette démarche avec les précautions d'un cambrioleur.

Lorqu'il eut achevé sa conversation, William céda à l'acrimonie. Que cachait son fils ? Que volait-il ? Quelle lettre recevait-il que son père devait ignorer ? Sur le coup, il pensa à des factures d'achats clandestins, puis la bonne humeur lui revint lorsqu'il flaira une correspondance amoureuse.

Intrigué, William se rendit dans la chambre de James pour parler avec lui. Lorsqu'il franchit le seuil, James le bouscula, cartable au dos, en lui annonçant qu'il n'avait plus une seconde à perdre, sinon il raterait son contrôle de géographie. William lui frotta les cheveux au passage.

Il s'assit machinalement sur le lit, examina les murs. Des posters de rockers, de tennismen. Des romans de science-fiction. Une saga d'heroic fantasy. Il songea à la lettre. Où se cachait-elle ? Non ! Il ne fouillerait pas les tiroirs de son fils ! À quinze ans, il aurait haï ses parents pour un tel geste. Retenu par le scrupule, il vidait les lieux, quand, en se relevant, il frémit : la lettre que James avait ôtée du courrier gisait dans la poubelle. Il la reconnaissait à son papier mandarine.

Sa main n'hésita pas, saisit l'enveloppe. Dessus, les caractères lui semblèrent familiers : l'écriture de Mandine.

Il s'effondra sur le lit de l'adolescent. Ainsi son fils agissait comme lui ? Son fils jetait les lettres de Mandine sans les ouvrir ? L'histoire recommençait donc ?

Perplexe, il hésita à décacheter l'enveloppe. Si James s'en avisait ? Allons, le ménage étant fait tous les matins, il ne s'attendait pas à la récupérer dans la poubelle.

William se réfugia dans son bureau, s'y enferma.

« Mon Jébé que j'aim. Gust est mort. Il avait 18 ans. Bocou pour un chien. Je croi qu'il a été eureu. Jé bocou pleuré. Tu me mank. Tu viin moins souvan. Donne moi plus de tes nouvels. Il paraît que tu écri trè biin. Moi, je m'en ren pa comt. Ta maman qui t'ador. »

William découvrait l'ampleur du coup qu'il avait asséné à Mandine en s'occupant de James. S'il avait perçu les réticences de plus en plus nombreuses de l'adolescent lorsqu'il fallait se déplacer en Savoie – sous prétexte d'études et d'expéditions scolaires, ses voyages s'espaçaient –, il n'avait pas mesuré le refroidissement de son fils, d'autant qu'il ne l'accompagnait jamais. De quel droit aurait-il grondé James ? Comment aurait-il osé l'apostropher alors que lui, au même âge, avait eu honte de Mandine ?

« Une mère, ce n'est pas une maîtresse, insinua une voix intérieure. Tu as une seule mère. Tu ne dois pas te comporter mal avec elle. »

William se promit d'intervenir lorsqu'il trouverait un moment propice.

Une semaine plus tard, il n'avait toujours pas trouvé ce moment.

Le lundi matin, la scène de la lettre volée se reproduisit.

Que faire ? Une partie de William appréciait que James s'éloignât des Thievenaz pour devenir un Golden. À un âge où les fils se rebellent contre leur père, James idolâtrait le sien. William allait-il le lui reprocher ? Le réfréner ? Écornerait-il cet attachement inattendu, fondamental, bouleversant ? Que plaider en faveur de Mandine ? Elle pâtissait d'un retard mental, elle comprenait de moins en moins son fils, elle l'encombrait d'une affection excessive.

Pendant des mois, il laissa James dérober les lettres de sa mère et les jeter aux ordures.

Un soir, William initia son fils à l'opéra – à seize ans, il devait goûter cet art subtil. Pour son baptême, il avait choisi *Madame Butterfly*, pressentant que l'exotisme du Japon, ainsi que l'éblouissante écriture orchestrale de

Puccini pourraient le séduire. De surcroît, une distribution fastueuse qui réunissait les meilleurs gosiers véristes de la planète annonçait une soirée d'exception.

Il ne s'était pas trompé. Le spectacle déroulait ses splendeurs, dont la première, l'histoire.

Au port de Nagasaki, la trop jeune Cio-Cio-San tombe amoureuse de Pinkerton, un officier de la marine américaine en escale. Contre sa famille, contre les conventions sociales, contre sa religion, Cio-Cio-San – ce qui signifie en japonais Madame Butterfly, Madame Papillon – se donne au Yankee. Le mariage a lieu, sérieux pour elle, simple folklore pour lui. Ils font l'amour. Il part. Trois ans plus tard, élevant le fruit de leur union, elle l'attend toujours, fidèle, isolée, refusant des partis avantageux. Quand Pinkerton aborde au port avec sa récente épouse américaine, il apprend qu'il a eu un fils de Cio-Cio-San et décide de l'emmener. Cio-Cio-San feint d'accepter, embrasse son enfant, puis se suicide.

Au fur et à mesure que l'action avançait, porté par la musique, ébloui par les décors, terrassé par l'interprète incandescente qui offrait sa voix pure, crémeuse, lyrique à l'ingénue geisha, la pitié gagnait William. Butterfly perdait tout, sa famille, ses ancêtres, son identité nipponne, son mari, son fils, sa vie. Une inflexible tragédie la broyait. À cause du japonisme, des violons soyeux, des timbres orientaux, des organes exacerbés de chanteurs qui rivalisaient de puissance avec l'orchestre, William abandonnait les filtres habituels de sa conscience. Le drame musical le pénétrait ; il vibra lorsque Butterfly ne soupçonna pas le cynisme de Pinkerton ; il pleura de la voir guetter le bateau sur les flots durant des années ; il frémit devant la condescendance brutale du mâle ; il s'attendrit au sacrifice de Butterfly qui confiait le fils au père, et il reçut dans son propre estomac le sabre de Butterfly qui s'éventrait.

Protégé par l'ombre de la loge, il avait cédé sans retenue aux émotions. Quand, après vingt minutes d'applaudissements nourris, la lumière revint, James se tourna vers lui et s'exclama, un sourire goguenard aux lèvres :

– Quel mélo !

Par là, James signifiait qu'on ne le dupait pas : il avait bien compris qu'auteurs et interprètes avaient voulu l'émouvoir mais il avait résisté à cette manipulation sentimentale de toute la force de ses seize ans. Au fond, il se vantait de n'avoir rien ressenti et de ressortir intact du spectacle.

Une seconde, William jugea son fils stupide. Puis une pensée lui traversa le cerveau : Madame Butterfly figurait Mandine ! Voilà pourquoi lui, William, avait été si bouleversé. Alors qu'il agissait comme Pinkerton, cet arrogant qui, au détour d'un voyage, prend une femme et la jette, ce corrupteur puissant qui arrache son fils à une mère qu'il estime inférieure, Puccini l'avait obligé à vivre la situation à travers les yeux de la romantique Butterfly.

Le soir, une fois rentré, en souhaitant une bonne nuit à James dans sa chambre, il lui déroba quelques cahiers, s'enferma dans son bureau, apprit aisément à imiter son écriture, puis, lorsque minuit sonna, enhardi, il rédigea une lettre destinée à Mandine.

Une heure plus tard, il la signait « James ».

Sa Butterfly à lui pâtirait moins que celle de Puccini : son fils la chérissait. Tant pis pour la vérité, tant pis pour James. William, horrifié par la dureté des hommes, par la sienne, voulait adoucir le chagrin de Mandine et réchauffer sa solitude.

Comme elle était facile à aimer !

Durant des années, William raconta à Mandine ce qu'il – James – faisait la journée en cours, le soir avec son père, le week-end avec ses amis ; il lui commentait généreusement les livres qu'il lisait, les films qu'il voyait et surtout s'enquérait de ce qui se passait en Savoie : comment allait le grand-père Zian, comment se comportait le chien ocre qui succédait à Gust, comment les chèvres acceptaient leur changement d'étable ? À la fin, il troussait plusieurs formules cajoleuses, sachant que Mandine les lirait et relirait avec enthousiasme.

Pour crédibiliser son artifice, il interceptait les courriers de Mandine à son fils, les parcourait et les recachetait avant de les lui remettre ; il obligeait aussi James à rédiger une lettre par mois à sa mère, histoire qu'il ne s'étonne pas lorsqu'elle évoquerait ses messages avec chaleur.

Le mensonge fonctionnait. James, devenu parisien, descendait de moins en moins visiter sa mère et son grand-père, mais ses lettres suppléaient à l'absence. Quant à William, il savourait les nuits qu'il occupait à écrire ses faux : il cultivait l'illusion de réparer l'atrocité du monde, de se faire pardonner le rapt de son fils, de policer James le réfractaire et, sous son masque, il se laissait aller à exprimer une authentique affection envers Mandine.

James, après son baccalauréat, suivit la voie paternelle et entreprit de hautes études – le sang Golden courait dans ses veines. William devait insister pour que James descende une ou deux fois par an en Savoie. Il y tenait d'autant plus qu'il trouvait que son fils, avec son teint cadavérique de Parisien, étudiant et fêtard, gagnerait à randonner en respirant un air pur. James, hélas, ne lui obéissait que l'espace de quatre jours et revenait à la hâte, sa pâleur inchangée, rejoindre l'hôtel particulier.

Aux vingt-cinq ans de James, au cours de la fête qui avait converti la maison en bar-dancing chatoyant, un étrange accident se produisit. Au moment où la réception battait son plein, James s'effondra. On crut à un coma éthylique, car il avait fort bu, mais l'examen au service des urgences révéla un problème aux reins et l'équipe l'hospitalisa.

Les premières heures, William refusa le constat des médecins. Enfin, ce n'est pas parce qu'un jeune se saoule à l'occasion d'un anniversaire qu'on lui diagnostique une maladie aux reins ! Cela arrive tout le temps ! Vous délirez, là ? Laissez sortir mon fils.

Le professeur Martel expliqua posément, pédagogiquement, tristement, à William, que la soirée ne constituait pas la cause mais le catalyseur. Depuis des années, son fils souffrait d'une nécrose des reins. Celle-ci venait de s'accélérer.

– Son teint ne vous étonnait pas ?

– Si, mais il travaille tellement…

– Vomissait-il, parfois ?

– Oui, mais il fréquentait des boîtes de nuit, et je…

William baissa la tête, vaincu : il avait compris.

– Quel traitement lui administrer ?

– Il n'existe aucun traitement.

– Quoi ?

– La seule issue reste la transplantation. Si on lui greffe des reins, il peut survivre.

– Faites-le !

– Très délicat. Non seulement il y a très peu de dons de reins, mais il nous en faut deux, et ceux-ci doivent être compatibles avec son organisme. Ne désespérons pas, cependant. J'appelle tout de suite le registre des transplantations.

En quelques jours, comme si apprendre sa maladie l'avait condamné, James déclina de façon effrayante. Lorsque William lui rendait visite – matin, midi et soir –, il voyait son garçon affaibli, amaigri, le teint brouillé, les yeux jaunes, les lèvres frissonnantes.

Il s'inquiéta, réquisitionna ses relations, lança des appels dans tout Paris afin d'accélérer l'opération. Hélas, on ne trouvait pas de donneurs de reins sains.

Après quatre semaines de faux espoirs, la situation lui échappa : James risquait de mourir.

Cette nuit-là, il s'isola dans son bureau. Il devait communiquer la vérité à sa mère et à son grand-père. Comment s'y prendre ?

Il décida d'écrire deux lettres. Une, de lui, au père Zian. L'autre, de James, à Mandine.

La première achevée, il trembla en rédigeant le message pour Mandine :

Ma chère maman,

J'aurai peut-être quitté ce monde lorsque tu recevras cette lettre. On m'a diagnostiqué une très grave déficience du rein – des deux reins. Moi qui ne savais rien de ces organes, j'ai appris à mes dépens qu'ils jouent un rôle essentiel dans notre corps et, s'ils perdent leur efficacité, notre vie s'effondre. C'est si vrai, maman ! Je diminue de jour en jour… Non seulement je peine à m'alimenter, mais je n'en ai plus envie. J'attends. Quoi ? Je ne sais pas. Une greffe, proposent les médecins. La mort, sans doute. Chaque jour, papa passe plusieurs heures auprès de moi et je lis, sur son visage angoissé, que je m'éteins.

Maman, je souhaitais simplement te dire que je t'aime. Je te dois tout. La vie, d'abord, parce que tu m'as porté en toi, dans tes bras, contre ton sein, tandis que personne ne me désirait – je n'ignore pas que mon père tenait à ce que tu avortes ni que mon grand-père m'a considéré comme une honte. L'amour, ensuite ; tu n'as été que générosité, dévouement, sourire, élan. Même me laisser te quitter, ce qui te brisait le cœur, tu y as consenti par bonté, pensant qu'il fallait que je devienne un « grand monsieur des villes ». Pardonne-moi ce départ. Pardonne-moi d'être revenu si peu. Pardonne-moi ma distance. Pardonne-moi d'avoir, par fatuité, repoussé tes caresses, tes baisers, tes câlins : je me voulais fort, autonome, sans attaches, à la façon des garçons. Si l'on m'accordait la possibilité de poursuivre cette vie, ou d'obtenir une vie de rechange, crois bien que je m'efforcerais de te montrer l'amour que je ne t'ai exprimé que dans mes lettres, et que je donnerais à ton amour si ferme son prolongement dans celui que j'adresserais à mes enfants, tes petits-enfants.

Dans mon lit d'hôpital, je me réfugie dans nos souvenirs. Ils m'apaisent. Je me figure main dans la main avec toi, dévalant les prairies, entourés de Gust et de la chèvre Blanquette, tes deux amis encore plus fous, plus joyeux, plus enthousiastes que nous, tous les quatre grisés par le bonheur de nous dégourdir les jambes, d'aspirer l'air ensoleillé, de saluer le printemps. Comme nous avions raison de nous réjouir d'un rien. Car, ce rien, c'était tout. Inspirer, expirer, s'en rendre compte, s'en émerveiller. Quelle sagesse ! Moi qui ai fréquenté tant de gens éminents, financiers, politiciens, idéologues, savants, je découvre que toi, Gust et Blanquette, vous me délivriez d'irremplaçables leçons. S'étonner d'exister. Remercier. Cultiver la joie, à toute force.

Vous avez été mes meilleurs professeurs de vie, voire de philosophie, même si je ne me suis pas comporté à la hauteur de ce que vous m'enseigniez. Plus tard, je me suis un peu égaré dans les labyrinthes de la sophistication, j'ai tenté de ressembler aux esprits chagrins, ceux qui préfèrent l'écœurement à la jubilation, le pessimisme à l'optimisme, la mort à la vie. Quand je livrais une observation morose, cynique, nihiliste ou désespérée, ils m'applaudissaient en m'octroyant un diplôme de clairvoyance. Pourtant, dans mon actuel état de faiblesse, ce qu'ils m'ont appris se réduit à un tas de poussière, et je n'atteins vigueur et lumière qu'en pensant à vous trois.

Gust… Blanquette… Crois-tu que nous retrouvons, là-haut, les animaux que nous avons aimés ? Je l'espère tant… Eux, je suis certain qu'ils auront fait l'impossible pour me revoir, qu'ils auront patienté fidèlement des années, bravant le froid, l'inconnu, la solitude, le découragement, afin de se précipiter vers moi, la truffe chaude, la queue hilare, les yeux plissés. Nous nous étreindrons sans fin. Si c'est ainsi, ce sera beau, l'éternité.

Je t'embrasse, ma petite maman, ma grande maman, ma maman cassable et incassable, ma maman à qui je risque d'infliger, malgré moi, une immense peine.

Ton fils qui t'aime.

En signant « James », William céda à un accès de larmes. Pour la première fois de sa vie, lui qui n'avait pleuré qu'à l'Opéra, il n'arrivait plus à se dérober à ce qu'il vivait, à surplomber la situation. Tous les chagrins, compacts, lui tombaient dessus : le chagrin de James, le chagrin à venir de Mandine, son propre chagrin. En lui vibraient les douleurs des siens, même les douleurs des animaux de Mandine auxquels il avait si peu prêté attention. Sa sensibilité qui n'avait jamais servi en une quarantaine d'années se laissait déchirer, lacérer, par l'abominable conjecture. Couché sur le dos, le visage face au plafond, il sanglota jusqu'au matin.

À l'hôpital, il affichait des traits aussi tirés que ceux de son fils.

– Toujours pas de donneur ? demanda James dans un souffle.

– Pas encore.

Puis ils se turent. Ils n'avaient plus rien à se dire. Il leur importait seulement d'être ensemble.

Le surlendemain soir, vers huit heures, la sonnette de l'hôtel particulier retentit et un brouhaha se produisit à l'entrée. William, penchant la tête dans la cage d'escalier, aperçut ses domestiques occupés à refouler une femme très agitée accompagnée d'un vieil homme.

En une seconde, il comprit : Mandine et le père Zian étaient montés à Paris pour soutenir James.

Depuis le palier supérieur, il ordonna aussitôt qu'on les fît entrer et que l'on préparât des chambres.

Mandine le regarda descendre vers eux.

– Comment il va ?

William s'approcha et saisit ses mains fiévreuses.

– Mal, murmura-t-il.

Elle se laissa tomber contre lui et, sans pudeur aucune, sanglota. Le père Zian voulut débarrasser William de cette étreinte mais celui-ci le retint. Cette fois, le contact avec Mandine ne le gênait pas ; il recevait la chaleur de ce beau corps solide, il en sentait l'amour, l'amour puissant, comme un cadeau. L'émoi qu'il éprouvait ne relevait pas de l'érotique, il s'avérait physique et spirituel. En vérité il enlaçait Mandine comme s'il était son mari. À moins qu'il ne l'enlaçât pour James…

Après quelques explications, William convia Mandine et Zian à dîner en sa compagnie. Malgré son abattement, Mandine se montrait attentive à la maison, au décor, à la vaisselle, à tout ce qui concernait le quotidien de James qu'elle connaissait bien par ses lettres.

William leur annonça qu'il les emmènerait le lendemain matin à l'hôpital.

– À quelle heure ? s'écria Mandine avec une sorte de terreur dans les yeux.

– À neuf heures. Je vous retrouve dans le hall à neuf heures.

– Réveille-moi à huit heures, s'il te plaît. J'ai oublié mon réveil.

– Oui.

– Juré ? Tu frappes à ma porte à huit heures ?

Elle insistait comme s'il se fût agi d'une question vitale.

– Juré ?

Ému, William la rassura :

– Je te le jure : je frappe à ta porte à huit heures.

– Et tu attends que je t'ouvre pour repartir.

– Pourquoi ?

– Pour vérifier que je t'ai entendu.

– D'accord.

– Résume ! ordonna-t-elle.

Soumis, avec un sourire débonnaire, William répéta :

– Je frappe à ta porte à huit heures jusqu'à ce que tu m'ouvres.

– Voilà. Si je ne réponds pas, tu entres.

Il approuva avec patience, ainsi qu'on apaise un enfant.

– Promis, juré.

Elle le remercia, pleine de larmes.

En se couchant, William se remémora la simplicité harmonieuse du moment qu'il venait de partager avec Mandine et le père Zian. Au fond, ils constituaient une famille. Il avait fallu la maladie de James pour qu'il s'en avisât. Pourquoi avait-il voulu distinguer deux mondes, le sien et celui de Mandine ? De quoi avait-il eu peur ? Avait-il abîmé son fils en lui imposant cette coupure ?

Il dormit mal. Peu. L'état de James exigeait une greffe immédiate. Sinon…

Éreinté, soulagé de voir rosir l'aube, il s'apprêta à amener sa famille complète à son fils.

Une fois douché, vêtu, il remarqua que sa montre indiquait huit heures dix et se souvint de sa promesse.

Il monta à l'étage des invités et gratta à la porte de Mandine.

Rien ne bougea dans la chambre.

Il cogna de nouveau. Puis, devant la lourdeur du silence, cria à travers la porte :

– Mandine, il faut te lever !

Aucune réaction.

Il appuya sur la poignée, qui céda.

Sur la pointe des pieds, il s'introduisit dans la chambre et s'approcha du lit.

– Mandine !

Elle ne sourcilla pas.

C'est alors qu'il aperçut les boîtes vides sur le sol et un mot, posé en évidence :

« Mes reins pour Jébé »

Mandine s'était suicidée pour sauver son fils.

Dans les heures qui suivirent, William ne put que constater le soin scrupuleux avec lequel Mandine avait tout prévu et planifié. Pour une déficiente mentale, une performance ahurissante ! Quelqu'un l'avait-il aidée ? Ou bien, dans un sursaut d'énergie – ou un élan d'amour –, avait-elle trouvé le moyen de comprendre ce qui, d'ordinaire, lui passait au-dessus du cerveau ?

Elle avait choisi d'avaler des médicaments qui la mettaient à la porte de la mort, histoire d'arriver en vie à l'hôpital pour la greffe. Tout avait été minuté. L'absorption, la découverte de son corps par William, le temps du transfert. Il restait certes un risque : qu'on tentât à tout prix de la réanimer.

Là, ainsi qu'elle l'avait sans doute établi, William intervint. Il prévint les médecins de la situation : elle s'était tuée pour donner ses reins à son fils. Si on ne respectait pas sa volonté, on alignerait deux cadavres : celui de James, et le sien quand elle se réveillerait et apprendrait qu'on ne l'avait pas écoutée. Les médecins jouèrent la comédie habituelle – « Nous ne tenons pas compte de ces informations, nous devons la secourir » – mais, en secret, se concertèrent et programmèrent l'opération.

Quelques heures plus tard, on transplantait ses reins dans le corps de son fils.

James, après un long choc, commença à récupérer. Il tolérait la greffe. Alors que le code médical oblige à dissimuler la provenance des organes, William, après avoir consulté l'équipe, révéla la vérité à son fils.

James parut assommé par la nouvelle. William, mesurant que le sacrifice de sa mère l'écrasait, tenta d'en parler avec son fils afin d'éviter un traumatisme, mais, chaque fois, celui-ci s'assombrissait puis changeait de conversation.

La vie reprenait le dessus.

Après cinq mois, James sortit de l'hôpital, chétif mais guéri.

William lui proposa de descendre en Savoie pour voir son grand-père et fleurir la tombe de sa mère. James baissa la tête et se prêta à l'expédition sans jamais dévoiler la moindre émotion, même au cimetière. Sentant qu'il se protégeait, William le laissa s'enfermer dans le mutisme. Le temps finirait par desserrer son bâillon, William épaulerait son fils, et ils parleraient de Mandine.

Une semaine après leur retour, il constata que James avait enlevé toutes les photos de sa mère qui, depuis ses dix ans, garnissaient son étagère.

Il haussa les épaules, résolu à patienter, et inséra, le mois suivant, un portrait de Mandine dans la montre de gousset qu'il avait héritée de son oncle. Puis, sans presque s'en apercevoir, il se mit à la porter quotidiennement.

*

La Tour Golden attendait l'aube comme un condamné l'exécution.

À grand renfort de café, d'amphétamines, de cocaïne, ses dirigeants avaient occupé la nuit à chercher une solution pour minimiser le désastre. Hélas ! Chaque suggestion, parce qu'elle ne tenait pas la route après quelques minutes d'analyse, avait entériné l'inéluctable : il ne subsistait aucun moyen de dissimuler l'escroquerie du FIGR, le pseudo-fonds d'investissement créé par James Golden. Tout était perdu.

Le séminaire, qui avait commencé à deux heures du matin, n'avait produit qu'une résolution claire dans les esprits : « Sauve qui peut, chacun pour soi ! » Les coupables occultaient leur importance en fourbissant des arguments qui les rendaient victimes d'ordres, de pressions, de chantages, broyés par un implacable engrenage ; les innocents n'avaient qu'un souci, se disculper ; plus personne ne tentait de préserver la société Golden.

Certains – Paul Arnoux le premier – avaient tenté de quitter le bâtiment, estimant qu'on trouverait louche leur présence au lever du soleil, quand ils butèrent contre des portes hermétiquement closes : William Golden avait changé les codes d'accès afin de garder son équipe à l'intérieur.

Paul Arnoux avait essayé d'intimider son ami en le menaçant de porter plainte pour séquestration. William Golden avait répondu qu'il restait trois heures avant l'arrivée de la brigade et qu'une ultime session déciderait de la politique d'ensemble deux heures avant.

– Ne t'affole pas, tu retourneras chez toi, avait-il assuré à Paul Arnoux en lui enjoignant de convaincre les autres.

Seul dans son bureau, assis devant son téléphone dont il avait enclenché le haut-parleur, il se penchait vers l'appareil, comme si son fils en chair et en os s'était tenu là.

James, que William avait réveillé au bout de Paris, pleurnichait sans fin. Ses larmes, ses hoquets, ses gémissements lui restituaient sa voix d'autrefois, la voix du garçonnet qui s'était blessé aux genoux en tombant de vélo. Alors que le trentenaire avait conçu une imposture pharaonique, un enfant aux intonations baveuses contrait maladroitement les accusations de son père :

– Je suis désolé, papa. Je… j'ignore ce qui…

– Quelle idée avais-tu au fond de la tête ?
– J'avais envie de réussir. De réussir vite.
– « Vite » n'implique pas « mal », mon garçon.
La contradiction revigora James, lequel s'ébroua avec l'humeur discutailleuse qui le caractérisait :
– Mal… bien… relatif ! Tu ne vas pas prétendre que toutes les activités que mène une banque sont « bien », non ? Les banquiers ferment des comptes, balancent des gens à la rue, gagnent quand les clients se cassent les reins, se rémunèrent avant de les payer, saisissent, imposent, retiennent…
– Tu te prends pour Robin des Bois, peut-être ?
– Pourquoi pas ?
– Je te signale que Robin des Bois redistribuait aux pauvres ce qu'il obtenait. Toi, tu as gardé le pactole, tu n'as lâché que ce qu'il fallait à tes complices. Tu as gagné de l'argent malhonnêtement, James.
– Je voulais réussir.
– Réussir malhonnêtement ne signifie pas réussir. On doit pouvoir se montrer fier de ses actions. Fier de ses échecs comme de ses succès. Ce n'est pas le résultat qui constitue la valeur, mais le respect des principes.
– J'étais pressé, papa.
– La loyauté fait perdre du temps ?
– Aller vite… en profiter vite… Avec ma santé…
Cette phrase raidit William, qui se rejeta en arrière. Il domina son dépit et répliqua d'un ton sec :
– Ta santé m'a toujours donné l'occasion de te

plaindre. Ne la transforme pas en occasion de te mépriser.

James, à court de justifications, sanglota.

– Je ne recommencerai jamais, papa. Je ne recommencerai pas.

William Golden retint sur sa langue la réponse qui lui traversait l'esprit : Bernard Madoff, le bandit de Wall Street, ne recommencera pas non plus, après ses cent cinquante ans de prison...

Comme s'il l'avait entendu penser, James paniqua et se mit à respirer de façon oppressée.

– Papa... la justice me collera combien ? Les malversations d'argent... c'est moins sanctionné, quand même... il n'y a pas mort d'homme... Combien, papa, combien ?

William Golden percevait de nouveau le petit garçon sous l'adulte odieux et cela le troublait. Songeur, il frotta ses paumes moites contre le tissu de son pantalon. Que de malentendus ! Jeune, on voudrait que son père soit un héros. Vieux, on voudrait que son fils en soit un. Au fond, on n'accepte jamais ses proches tels qu'ils sont.

Il prit un ton rassurant, bien qu'il ne fût pas rassuré :

– Nous verrons... L'enquête n'a pas débuté... La brigade se pointera ici dans deux heures.

Un silence.

– Que vas-tu faire ?

James avait prononcé ces mots avec la ferveur d'un gamin qui croit que son père possède tous les pouvoirs. William Golden songea : « Lui aussi, il voudrait que son père soit un héros. » Il se racla la gorge, chercha une sentence d'élite à proférer, ne trouva rien et se résolut à énoncer la vérité :

– Qu'aurait fait ta mère ?

– Quoi ?

William Golden répéta doucement :

– Qu'aurait fait ta mère ?

Un silence. Puis James continua, abasourdi :

– Ma mère ?...

– Oui.

– Ma mère ne savait même pas lire un relevé de banque. Distinguer la colonne « crédit » et la colonne « débit » dépassait ses moyens.

– Je me le demande : qu'aurait fait ta mère ?

– Toi ! ... Tu te demandes ce... Je ne te comprends plus.

– Moi non plus, je ne te comprends plus. Mais qu'aurait fait ta mère ?

Il y eut derechef un silence. William Golden ajouta, sincère :

– Voilà l'unique question que je me pose.

Il raccrocha avec lenteur.

Un bruit dévia son attention vers les fenêtres. Un hélicoptère survolait la Seine. William Golden frémit. Venait-il ici ?

L'engin poursuivit son trajet puis, à l'aide de projecteurs puissants, atterrit sur le toit de l'hôpital adjacent, lequel renfermait un service de réanimation performant. On sauvait une vie.

William Golden soupira, furieux d'avoir cédé à des pulsions paranoïaques.

Il s'appuya contre la vitre et contempla Paris.

La ville ne semblait pas réelle, tant les ténèbres effaçaient les reliefs, tronquaient les bâtiments, hachuraient les rues. À ses pieds s'étalait une maquette grossière, percée de lampes guère plus lumineuses que des lucioles, un brouillon de Paris.

Pendant qu'il méditait, sa main avait cherché la montre dans son gousset. Il actionna le mécanisme : Mandine lui souriait. Comme toujours. Infatigable. Rayonnante. Bonne.

Ému, il répondit à son sourire, pleinement, gentiment, éperdument, comme il ne se l'était jamais autorisé auparavant. De même qu'elle semblait livrer son être entier dans son sourire, il lui offrit le sien avec une semblable générosité. Les deux amants de seize ans communiaient, habités d'une tendresse identique.

Il murmura soudain :

– Bien sûr !

Son visage s'illumina : il savait enfin !

À quatre heures du matin, William Golden rassembla le directoire dans la salle d'apparat.

Les employés s'étonnèrent de la sérénité que dégageait William Golden ; le propriétaire de la banque en danger se mouvait avec flegme, les traits lisses, le regard tranquille. Ils commencèrent à se demander si ce diable d'homme n'avait pas trouvé la solution miracle.

– Asseyez-vous, je vous en prie.

Ils obéirent en silence. Paul Arnoux, le plus intrigué par la quiétude de William Golden, scrutait chaque expression sur sa belle face mûre.

– Messieurs, vous avez moins de deux heures pour retourner dans les documents et les réorganiser. Vous allez me changer l'histoire qu'on y lit et m'en écrire une autre.

– Laquelle, président ? cria le directeur commercial, en extase.

– Chargez-moi ! Moi exclusivement. Dites que je suis l'instigateur et le bénéficiaire de cette fraude.

Il désigna les trois comparses.

– Stanowski, Dupont-Morelli, Pluchard, je vous couvre. Vous n'avez rien maquillé, rien touché non plus.

– Quoi ?

– Vous ?

– Nous ne…

– Effacez vos traces, je prends tout sur moi ! J'innocente mon fils. Ses complices également. Chacun continuera sa vie et sa carrière. Je demeurerai le seul coupable.

Dans un silence médusé, avec son autorité coutumière, il dicta ses ordres, distribua les missions, indiqua à chacun ses tâches, brossant un tableau global en même temps qu'il précisait les modalités les plus singulières. Un cerveau standard aurait eu besoin d'une semaine de préparation pour livrer un plan aussi clair et exhaustif ; lui énonçait les tâches du bout des lèvres, avec prestesse, fluidité, allégresse.

Lorsqu'il eut achevé, il se contenta de frapper des mains.

– Hop, au travail ! Moins de deux heures.

Les directeurs se faufilèrent hors de la salle, dociles.

Seul Paul Arnoux ne bougea pas. Il dévisageait son ami avec effarement. Les yeux de William Golden scintillèrent en le remarquant.

– Tu comprends, mon vieux Paul ?

– Non.

– C'est si clair, pourtant…

Il se pencha vers Paul Arnoux et lui confia, un demi-sourire sur les lèvres :

– Quand on ne peut plus sauver ni l'argent ni l'honneur, on peut encore sauver l'amour.

Austère, Paul Arnoux secoua la tête en signe de déni.

– James ne vaut pas ton sacrifice.

– Il ne passera pas cent cinquante ans en prison, il n'a pas une bonne santé.

– Il ne le mérite pas.

– En amour, le mérite réside dans celui qui aime, pas dans celui qui est aimé.

– Mais…

– Chut !

Paul Arnoux devina que son ami, bouleversé, rompu, au bord des larmes, n'avait plus la force de se justifier davantage. Il se leva, le salua et quitta la salle de réunion.

Apaisé, William Golden se renfonça dans son fauteuil, entre les cornières de cuir, à l'abri des regards, ainsi qu'au temps de son opulence.

Puis, lentement, tendrement, il saisit sa montre, actionna le mécanisme, contempla le portrait de Mandine et lui murmura, comme si elle vivait :

– Merci.

LA VENGEANCE DU PARDON

Lorsqu'elle décida de déménager pour louer un studio près de la prison, ses sœurs la crurent folle.

– Tu quittes Paris ?

– Oui.

– Pour lui ?

Par la presse et la télévision, tout le monde savait qu'on l'avait transféré en Alsace : on l'écrouait à perpétuité à Ensisheim, dans une maison centrale.

– Pour lui ? insista l'aînée.

Élise ne répondit pas : c'était si évident.

– Je ne te comprends pas ! s'exclama la deuxième.

– Tu divagues ! renchérit la troisième.

– Moi non plus, je ne me comprends pas, répliqua Élise avec douceur. Je le ferai pourtant. La conviction s'impose. Ça me déplaît, mais je n'ai pas le choix.

Les trois sœurs échangèrent un regard consterné : cette pauvre Élise se conduisait ainsi depuis la fin du procès.

L'aînée s'entêta :

– Je te l'ai répété cent fois et je te le répète pour ton bien : tu devrais consulter quelqu'un.

– J'imagine que par « quelqu'un », tu entends un psychiatre ? demanda Élise d'un ton ironiquement naïf.

– Un psychiatre, un psychologue, un psychanalyste, ce que tu veux, un psy, quoi ! Quelqu'un qui s'occupe de ton équilibre. Car tu ne vas pas bien, ma chérie.

Élise se leva, ouvrit un tiroir du buffet Henri II tarabiscoté qui encombrait la moitié de son salon et en sortit un petit carton.

– Le docteur Simonin me suit depuis quatre mois.

Les sœurs s'emparèrent de la carte de visite. Avidement, elles vérifièrent les compétences du thérapeute : professeur Patrick Simonin, médecin des hôpitaux, diplômé en psychiatrie, psychologie et sciences cognitives, exerçant en cabinet privé ou en service public à Saint-Anne. Un ponte. Elles poussèrent un soupir de soulagement.

Élise conclut d'une voix guillerette :

– Vous voyez que j'obéis à vos conseils…

– Parfait, confirmèrent les sœurs.

Apaisées, elles fixaient le bout de carton d'un œil brûlant, comme si elles remerciaient le médecin qui traitait leur sœur.

– Que te dit-il ?

– Pas grand-chose pour l'instant. Il m'écoute.

– Bien sûr. Que pense-t-il de ton projet de déménagement ?

– Il l'approuve.

– Il… ?

Leurs bouches s'arrondirent. Élise hocha la tête.

– Selon lui, cela constituera une étape fondamentale de mon processus de guérison.

Savourant son thé, elle précisa, les paupières baissées :

– Car je suis malade…

L'aînée reprit son souffle.

– Heureuse que tu en prennes conscience, ma chérie. Et ravie qu'une sommité te soigne. Nous avons beau t'aimer et te protéger, nous restons tes proches. En revanche, si un spécialiste estime…

Les deux sœurs cautionnèrent les propos de l'aînée.

– Il a simplement exigé, ajouta Élise, que je poursuive ma cure à raison de deux séances par mois rue de Vaugirard. Cela m'a confortée.

On respira mieux. L'évocation de la riche et honorable rue de Vaugirard contribuait à les apaiser.

– Comment travailleras-tu ?

Élise réprima un faible sourire. La question de sa deuxième sœur signifiait que l'on consentait à son départ ; on s'interrogeait désormais sur ses modalités pratiques.

– Je peux traduire n'importe où. Les textes m'arrivent par internet et je les renvoie par internet. Depuis longtemps, je ne rencontre plus les gens qui m'emploient.

– Et ta famille ? Et tes amis ?

Tracassées, les trois sœurs se penchaient sur Élise. Elle voulut prodiguer des paroles amènes, lénifiantes, de circonstance, qui attesteraient son affection intacte, mais les mots ne sortirent pas de sa bouche. Depuis cinq ans, elle baignait dans une piscine d'insensibilité et n'éprouvait plus d'élan envers quiconque. Elle se contenta d'annoncer :

– Un exil provisoire. Je garde cet appartement. J'y retournerai après…

– Après quoi ?

– Ma guérison.

Quoique déstabilisées, les trois opinèrent, résolues à se fier au docteur Simonin.

– Cela va grever ton budget.

Élise rassura son aînée :

– J'ai touché une somme à l'issue du procès. Confortable. Naturellement, l'argent paraît dérisoire à côté de…

Prise d'un hoquet, elle n'acheva pas sa phrase. Jamais elle ne parvenait à nommer ce qu'elle avait perdu… Le nommer, c'était l'accepter. Pire, le nommer revenait à s'en infliger la violence une seconde fois.

L'aînée serra Élise dans ses bras.

– Fais comme tu l'entends, mon Élise. Nous te soutenons.

Les sœurs compatirent. Sensibles au drame qui avait détruit la vie de leur cadette, elles n'osaient plus analyser en profondeur le moindre problème avec elle, craignant de raviver ses blessures.

On reprit du thé, on lança la conversation sur des

sujets futiles, on s'enchanta de retrouver légèreté et entrain, puis l'on s'embrassa.

Ses sœurs parties, Élise ferma sa porte, enclencha les cinq verrous, brancha une de ses multiples alarmes, regagna le salon où elle ramassa la carte de visite. Tandis qu'elle la rangeait dans le tiroir, un sourire se dessina sur son visage : quelle judicieuse idée d'avoir volé cette carte chez une amie ! L'éminent professeur Simonin, qu'elle n'avait pas rencontré et auquel elle ne recourrait jamais, avait cloué le bec à ses sœurs.

Il ne lui restait maintenant plus qu'à finir ses valises…

*

Le studio meublé ne distillait ni goût ni charme. Situé rue Steinberg dans une résidence récente – une boîte à fenêtres –, il offrait un confort correct dont chaque élément puait l'économie : des murs blancs granuleux, des placards en bois aggloméré, des chaises et une table en pin, du linoléum au sol, trois lampes dépourvues de toute fonction décorative, des lunettes de toilettes trop ténues, une douche plastifiée, un canapé bas aux coussins inconsistants, un lit à lattes flasques, de la vaisselle d'hôpital, des couverts dont les fourchettes ne piquaient pas et dont les couteaux ne coupaient plus. En inspectant son logement, Élise se blâma d'avoir signé le bail de location. De quoi se punissait-elle en s'installant ici ? Le joli village d'Ensisheim comportait pourtant de pimpantes maisons aux façades anciennes, colorées, fleuries. L'agence lui avait proposé des espaces typiques à un prix équivalent ; or un instinct l'avait poussée à choisir le lieu le plus lamentable. Quel instinct ? L'instinct de souffrance ?

Durant les premiers jours, elle découvrit néanmoins que son studio bénéficiait d'un avantage : de plain-pied, il donnait sur un jardin, ou plutôt sur un champ ceinturé de haies. Un matou noir y flânait parfois, qui s'éclipsait dès qu'il l'apercevait. Le dimanche, Élise se força à imaginer, en poussant sa chaise dehors, qu'elle habitait une villa plantée au cœur d'un parc… L'air frais la refoula vite à l'intérieur, elle renonça à échapper à la médiocrité de son foyer et se concentra sur son écran d'ordinateur afin de traduire en français un guide touristique italien, sa dernière commande.

Après deux semaines, arriva le samedi où elle s'estima capable de lui parler.

Elle l'avait fait prévenir.

Son cœur battait la chamade.

Maintes fois, pendant quinze jours, elle avait déambulé devant la maison d'arrêt pour apprivoiser sa peur. La bâtisse exhibait une façade du XVIIe siècle, jaune et rose, sévère quoique élégante, majestueuse, qui, en dépit des barreaux aux fenêtres, témoignait de son usage précédent, un couvent de jésuites. Très vite, cette pompe s'estompait pour rejoindre d'immenses murs aux angles surmontés de miradors, lesquels contrôlaient un hectare de cellules.

Dès qu'elle franchit le seuil, elle éprouva des sensations connues. La porte blindée. Le drapeau tricolore. L'œil inquisiteur de la vidéo. Les papiers. Ouvrir son sac. Poser les objets métalliques. Passer au détecteur. Les gardiens portaient les mêmes gros chandails bleus qu'à Paris ; à leur main ou à leur ceinture grésillaient d'identiques talkies-walkies jacasseurs qui convainquaient les intrus qu'ils intégraient une zone hautement espionnée ; soumis et las, les employés les fouillaient avec une semblable efficacité respectueuse. À la suite des formalités auxquelles elle était rompue, elle aborda le sas qui conduisait au parloir.

Là encore, il lui sembla se trouver en terrain coutumier. Ne s'y pressaient que des femmes. Certaines, habituées, devisaient fort comme si elles guettaient leurs enfants à la sortie de l'école, sautant d'un banc à l'autre, interpellant les surveillants ; à côté, les timides s'asseyaient, figées, donnant l'impression d'attendre le bus ; dans les coins, les effarouchées, celles qui fréquentaient le pénitencier pour la première fois, se tassaient, le front bas, absentes.

Élise s'installa. Les habituées la dévisagèrent ; elle découragea aussitôt leur curiosité en s'absorbant dans son téléphone portable. Elle savait que la question qui surgirait ne serait pas : « Qui viens-tu voir ? », mais

« Quel lien as-tu avec lui ? Son épouse, sa mère, sa fiancée, sa sœur, une amie ? » Cette question, elle l'éviterait puisqu'elle n'appartenait à aucune de ces catégories. Quant à lâcher la vérité… Impossible !

Elle s'était renseignée sur les pensionnaires de la centrale : beaucoup de stars ! Des étoiles médiatiques ! Toute la France en avait bruissé… Comme le bâtiment n'accueillait que de lourdes peines – trente ans ou la perpétuité –, il hébergeait les maîtres de l'horreur aux procès retentissants : tueurs en série, criminels sexuels, terroristes notoires. Pendant des semaines, des mois, voire des années – le temps que la justice terminât son travail –, on avait prononcé leurs noms sur les plateaux de télévision ou les studios de radio, leurs visages avaient envahi les journaux, les écrans – enfin, leurs visages de l'époque, car aujourd'hui, après des saisons d'incarcération, on peinait parfois à les reconnaître.

De tous, celui qu'elle rencontrait était sans doute le plus célèbre. La gloire tient toujours à l'excès, excès de talent ou excès de barbarie, le normal n'appelant pas la renommée. Sam Louis avait tant multiplié le nombre de ses victimes qu'il avait défrayé la chronique et que chacun le connaissait.

Connaissait ?

Non.

Personne n'avait compris son attitude. Ni avant, ni pendant, ni après son procès. En apparence bien élevé, sociable, cohérent, il avait avoué ses quinze assassinats sans fournir un mot d'explication ni éprouver l'ombre d'un remords.

– Élise Maurinier ?

Le gardien avait braillé son nom à travers la pièce.

Elle rougit comme si on l'avait déshabillée, puis se dirigea vers le fonctionnaire à pas courts, tête baissée, preste. Autour d'elle – elle le sentait –, les femmes essayaient de deviner son rapport avec le condamné. Pourvu qu'elles l'ignorent longtemps…

Le surveillant l'amena au parloir.

Élise frétillait : il avait donc accepté sa visite !

Suintant d'un couloir, une odeur de chou et d'eau de Javel lui rappela la prison précédente.

Le gardien ouvrit la porte : Sam l'attendait derrière la vitre.

Elle lui sourit. Par réflexe.

Il lui sourit. Réflexe aussi.

Elle s'approcha, s'assit sur la chaise et, malgré la paroi de verre, eut l'impression de se coller à lui.

Ils se dévisagèrent.

Elle finit par dire :

– Comment vas-tu ?

Il haussa les sourcils, jeta un œil sur le côté, soupira, se frotta le front, posa ses paumes devant lui.

– Qu'est-ce que tu fabriques ici ?

– Je suis venue te voir.

– Pourquoi ?

– Comme avant.

– Pourquoi ?

– Comme avant.

– Je pige encore moins qu'avant. Ici, au fin fond de l'Alsace ?

– Et alors ? Paris, l'Alsace… Je viens te voir, point.

– Pourquoi ?

– Tu te le demandais déjà à Paris.

– Ici, je me le demande davantage.

Élise hésita puis affirma d'un ton convenu :

– On m'a mutée ici.

– À Insenh… non. Enshi… putain, je n'arrive pas à prononcer ce fichu nom !… À Enshei…

– À Ensisheim.

– Voilà ! On t'a mutée ici ?

– Pas loin.

– D'accord.

Il croyait à son mensonge. Comme si Élise était partie, il entreprit d'enlever une peau morte sur son pouce gauche.

Elle le dévisagea pour la centième fois : qui se cachait derrière cette face large aux traits à peine esquissés, un masque d'argile aux aplats et aux reliefs grossiers ? Quels sentiments habitaient cette carcasse aux épaules charnues, au buste plus bombé que le poitrail d'un sanglier ? Des hommes comme lui, elle en croisait souvent dans la vie courante, ni laids ni beaux, corpulents, solides. Avec l'expérience, on apprenait qu'une telle enveloppe contenait soit un gentil, soit un crétin, soit un violent. Là, l'enveloppe abritait un pervers, l'assassin-violeur de quinze femmes. Il l'intriguait férocement.

– Tu as grossi, non ? dit-elle.

– J'ai pris du volume.

– Pourquoi ?

– Le sport.

– D'habitude, on fait du sport pour maigrir, pas pour gonfler.

– En taule, on prend de la masse pour avoir la paix.

Elle opina du chef. Un instant, l'idée que Sam se musclait par crainte que des captifs le tabassent l'émoustilla.

– Il paraît que les détenus s'attaquent aux criminels sexuels.

– Vrai.

– Et toi…

– Quoi ?

– Ils… te laissent tranquille ?

– Moi, on me connaît d'abord comme un serial killer. Ça attire le respect.

– Bien sûr…, murmura-t-elle en se renfonçant dans sa chaise.

« Ça fout la trouille, surtout », songea-t-elle.

Il semblait content de son insolence et, pendant quelques secondes, sourit, béat, puis il aperçut le regard exigeant d'Élise, se renfrogna, ferma les paupières.

Elle se pencha vers lui, attentive.

– Comment vas-tu ?

– Rien à signaler. Une nouvelle chambre, mais c'est

toujours un mitard. De nouveaux gardiens, mais c'est toujours des matons. De nouveaux plats cuisinés, mais c'est toujours de la merde. Qu'est-ce que j'oublie ?

Il se gratta la nuque.

– Ah oui. De nouveaux visiteurs, mais c'est toujours des morpions.

Il rit puis la fixa, désireux de l'avoir choquée. Elle feignit de ne pas avoir compris. Il grimaça.

– Qu'est-ce que tu fous là ? Que cherches-tu ?

Elle chercha quoi riposter sur les cloisons jaunâtres, improvisa quelques mensonges et se résolut à la sincérité :

– Je l'ignore, Sam. Franchement.

Elle ne le manipulait pas, elle ne maquillait aucune stratégie, elle affirmait son désarroi avec une ingénuité complète. Il le perçut. Sa grande main cogna la vitre.

– Putain, c'est malsain !

Élise se redressa, ardente, et l'accusa en pointant le doigt sur lui :

– Te crois-tu la bonne personne pour juger de ce qui est sain ou malsain, Sam Louis ?

Elle plissait les paupières, les narines frémissantes, la mâchoire saillante, fâchée.

Impressionné, il se tut un moment puis glissa sur sa chaise, mou, désossé. Il marmonna :

– N'empêche… Pas normal.

Elle se rassit, raide, telle une institutrice qui reprend le cours après une intervention inopportune.

– Anormal, oui. Malsain, non.

Elle toussota.

– Les mots gardent un sens. Je te rappelle que tu t'adresses à une traductrice.

– La traductrice peut-elle m'expliquer ce qu'elle fout là ?

– Je n'ai pas à me justifier. Je viens te voir.

Dans leur échange, elle avait pris le dessus et il ne le toléra pas. Il se redressa, laissa tomber la chaise derrière lui et lui lança, les yeux injectés de colère :

– Ça suffit. Je ne me prêterai pas à ton petit jeu.

Elle ricana :

– Quel petit jeu ?

– Il n'y a aucune raison que tu rendes visite à l'assassin de ta fille !

Et sur ce, il frappa à la porte, exigeant de rentrer immédiatement dans sa cellule.

De retour à son studio, Élise ouvrit la porte-fenêtre, posa un tabouret sur le carrelage gris qui lui tenait lieu de terrasse, se tourna vers le pré et offrit son visage au soleil. Des villageois avaient tondu leur gazon et il flottait dans l'air une odeur de foin frais.

Une sorte d'allégresse bouillonnait au fond de son cœur. Elle avait ébranlé le monstre ! Oui, elle l'avait propulsé hors de son cocon d'indifférence. Lui ! Sam Louis ! Celui qui glaçait le public aux assises en décrivant ses meurtres d'une manière technique, clinique, froide, sans l'once d'un sentiment ! Celui qui évoquait comme des objets les femmes qu'il avait violées et assassinées – la première, la deuxième..., la quinzième –, leur refusant l'humanité d'un prénom ! Lui, le tortionnaire dépourvu d'empathie envers ses victimes ou leur famille. Lui, le bourreau qui n'éprouvait pas de sympathie pour lui-même : « Si vous me sortez de prison, je recommencerai. » Lui, Sam Louis, cet après-midi-là, perdant soudain le contrôle de ses nerfs, avait tambouriné à la porte pour échapper à Élise, tel un enfant en danger.

Quel danger ? Il l'ignorait. Elle l'ignorait aussi, imprécise quant à son but. Cependant, elle percevait bien que, ce samedi, durant quelques secondes de panique, elle avait touché ce qu'elle cherchait confusément.

Accepterait-il de la revoir ?

Elle n'en doutait pas. Quelque chose venait de s'enclencher... Par curiosité, il accepterait – ne représentait-elle pas sa seule aventure carcérale ? Par orgueil, il accepterait, car il détesterait sa défaillance. Par machisme, il accepterait, furieux d'avoir fui une femme. Par désir de maîtrise, il accepterait, afin de démentir son trouble, de prouver sa supériorité.

Elle étala un dossier jaune sur ses genoux. Il recelait des articles de presse, ainsi que ses notes manuscrites au fil des audiences. « Le tueur de Montparnasse », voilà comment était apparu l'assassin avant de gagner un nom et un visage. De lui, on n'avait d'abord connu que ses crimes, horribles, sanglants, obscènes, qui s'enchaînaient selon un mode opératoire commun. Toutes les forces de police avaient été lancées sur ce prédateur dissimulé derrière une signature macabre. Aujourd'hui, « le tueur de Montparnasse » possédait une identité, avait subi un procès fracassant, purgeait une peine de détention perpétuelle mais demeurait un mystère. Comme à ses débuts dans l'anonymat, on ne le connaissait que par ses crimes.

Orphelin de naissance, confié à des institutions, puis à une famille d'accueil installée dans le Berry, les Vartala, Sam Louis avait toujours affirmé un caractère misanthrope, indépendant, plutôt rebelle à l'autorité sous des dehors polis. Il avait suivi un parcours scolaire banalement médiocre et avait, lors de son adolescence, manifesté de préoccupants accès de violence. Plusieurs fois, il avait agressé ses sœurs adoptives, tentant d'étrangler l'une avec les mains, l'autre avec son collier, la suivante avec son foulard, des sœurs adoptives avec lesquelles, par ailleurs, il entretenait de bonnes relations. Taisant la première faute, la famille d'accueil avait été contrainte de signaler les récidives, puis de l'expulser. Livré à lui-même, parqué dans une maison de redressement, il s'était mis à boire, à se droguer et avait violenté une lycéenne à la descente d'un bus. Arrêté, jugé, condamné, il avait été incarcéré très jeune. À sa sortie, deux ans plus tard, il s'était rendu à Paris, s'était prostitué auprès des hommes et avait logé dans des squats ou chez différents protecteurs d'âge mûr. Aucun d'eux ne s'était plaint de lui à la cour d'assises, sinon que tous confessèrent leur lassitude quant à son alcoolisme, son addiction aux drogues, sa passivité indifférente : il cédait mécaniquement aux attouchements sexuels, sans goût ni intérêt pour ce qui se passait, l'esprit ailleurs…

Un meurtre abject avait attiré l'attention. Une jeune femme, Christine Pourdela, avait été violée dans son parking puis assassinée au couteau. Deux semaines après, une autre, Olivia Retif, avait subi un sort semblable dans le sous-sol de son immeuble. « Le tueur de Montparnasse » avait envahi les médias, fantasmé par les journalistes, recherché par la police, redouté par les habitantes du 14e et du 6e arrondissement. Hélas, aucune vidéo ne livrant d'images, aucun témoin n'apportant de description, on n'avait pu produire ni le portrait ni le profil du tueur. Quant aux traces d'ADN, elles avaient confirmé qu'il s'agissait d'une unique personne, un inconnu…

– Ma Laure…, soupira Élise.

Laure Maurinier, sa fille, avait été la troisième victime. Elle avait vingt-trois ans, achevait des études d'anglais et respirait la joie. Pendant qu'elle rangeait sa Fiat, à vingt-deux heures au niveau inférieur de son immeuble, l'homme était apparu, l'avait violée sous la menace puis poignardée dans le local à poubelles.

Souvent, sans contrôler ses visions, Élise revivait ce

jour-là. Son téléphone qu'elle emportait de la cuisine à la salle de bains, du salon à la chambre, parce qu'elle attendait son appel – Laure lui avait promis le titre exact d'un livre dont elles avaient parlé durant le repas. Ses messages vers minuit : « Ma chérie, tu oublies ta maman ignorante. Indique-moi la référence de cet essai, je l'utiliserai pour ma traduction. » Son réveil avec, comme geste inaugural, la consultation de son téléphone. Son appel à neuf heures du matin. Son deuxième à neuf heures trente. Les suivants. Au début, lors de ses messages, elle se moquait de son anxiété avec humour, mais, au fur et à mesure, elle la laissait percer. Vers midi, elle avait inféré que soit Laure était contaminée par un virus, soit elle avait perdu son portable. Elle se résolut à la rejoindre dans son studio pour en avoir le cœur net mais, au moment où elle entrait dans l'ascenseur, son téléphone sonna. « Ah, enfin ! » Numéro inconnu. Une voix qui s'affirmait de la police lui annonça l'abominable.

Elle demeura transie. Sans comprendre. L'officier lui répéta que sa fille avait subi un très grave accident, qu'elle… était décédée.

Si l'on mourait de chagrin, elle serait morte sur-le-champ. Mourir de chagrin, cela valait sans doute mieux que vivre avec le chagrin.

Après, les séquences se bousculaient, intolérables. L'arrivée au studio, avenue Edgar-Quinet. Les badauds du marché. Les journalistes. Les policiers. Le médecin légiste. Les traces de sang dans le local à ordures. La reconnaissance du corps à la morgue. Laure, son bébé, son unique enfant, muette, bleutée, étendue sur un lit d'acier dans une salle qui empestait le formol, couverte de plaies noirâtres. Incrédule, Élise avait touché sa fille pour s'assurer qu'elle ne respirait plus. Elle avait secoué son épaule. Quelle froideur ! Quelle rigidité ! Depuis, elle n'avait jamais pu réchauffer sa main. Par la suite, des accablements supplémentaires, inutiles : les articles des journaux avec le nom de sa fille, ou pire, avec sa photographie. Elle souriait sur les clichés révolus, et ce sourire lui semblait inopportun, atroce. Chaque fois, Élise estimait qu'on lui retuait Laure. À part elle, quelqu'un s'en rendait-il compte ?

Le massacreur avait continué ses ravages. Il avait commis de nouveaux crimes et l'on avait relié à son profil pervers des cas antérieurs. Élise avait mené sa propre enquête.

Sam Louis avait exécuté quinze victimes lorsqu'on le captura. Élise, épuisée, les considérait toutes comme les sœurs de Laure. Apprenant les détails de leur vie par la presse, elle était devenue la mère de quinze jeunes femmes assassinées. Cela lui évitait que Laure l'obnubile.

– Minet… minet-minet-minet-minet !

Pour s'arracher à ses ruminations, Élise avait posé le dossier et, accroupie, appelait le chat noir qui se tenait à dix mètres, contre la haie. Il la toisait de ses yeux jaunes, soupçonneux.

– Minet !

Le matou ne réagit pas, son crâne plat habité de pensées hostiles.

Elle insista :

– Viens ici. N'aie pas peur.

Il détourna la face. Peur, lui ? Que les humains professent des théories humiliantes.

Élise l'observa avec attention : des flancs très creux et un pelage négligé. Un chat à l'abandon.

– As-tu faim ?

Elle entra dans le studio, attrapa une assiette à dessert et bricola une mixture composée de ses restes – riz, viande froide, jambon.

Dehors, elle nota que le chat n'avait pas bougé, comme s'il avait saisi qu'il devait attendre quelque chose. Le jabot gonflé, les oreilles rabattues, il jaugeait la situation.

Élise déposa l'assiette sur le carrelage.

– Tiens. Pour toi.

Il lui retira son regard, indigné.

Élise s'en divertit.

– Tu ne comprends pas le français ? Tu ne parles qu'alsacien ?

Réfractaire, il se mit à lécher sa patte droite, manifestant nettement que, s'il endurait ses cris, elle ferait mieux de se taire. Il contempla ses griffes. Combien en possédait-il ? Dix ? Vingt ? Trente ? Mille ! Il s'admirait, soudain toqué de lui-même. Il devenait tout griffes.

Élise souleva l'assiette et osa quelques pas dans l'herbe. Il cessa aussitôt de s'extasier sur ses coussinets roses. Alerte !

Elle installa la nourriture au milieu du pré.

– Voilà, monseigneur, à votre guise…

Puis, de retour sur son tabouret, elle feignit de compulser son dossier.

Le chat l'épia longuement. Il bougea lorsqu'il parvint à se persuader qu'elle ne s'occupait plus de lui. Élise ne cillait pas. Peu à peu, il s'enhardit. À pas coulés, méfiant, arrêté par l'irruption d'un papillon ou l'aboiement d'un chien au lointain, il s'approchait de l'assiette. Du coin de l'œil, Élise suivait sa progression et s'en réjouissait.

Une partie de ses feuilles glissèrent à terre.

– Zut !

À ce bruit, le chat, effrayé, battit en retraite.

– Non ! s'écria Élise. Ne pars pas. Reviens.

Il avait disparu derrière la haie.

– Minet !

Le jardin demeura désert.

– Quel con ! ajouta-t-elle à la cantonade.

Un nuage couvrit le soleil. Le froid la saisit. En levant la tête, elle constata qu'une armée de cumulus envahissait le ciel. Grelottante, elle ferma soigneusement la porte-fenêtre.

Lassée, l'esprit dispersé, elle n'entendait plus travailler, ni sur sa traduction ni sur son dossier « Sam

Louis ». Elle brancha le poste. Des émissions de téléréalité déferlèrent sur l'écran. « Comment peut-on atteindre ce niveau d'ânerie ? » se demanda-t-elle en écoutant les réflexions des participants. Fascinée par l'insondable nullité des héros, elle se laissa hypnotiser.

Lors d'un intermède publicitaire, elle tourna la tête vers le jardin. Le chat avait rejoint l'assiette et, ramassé sur lui-même, les oreilles couchées, en gestes saccadés, avalait le repas avec gloutonnerie.

– Pas malin non plus, celui-là. On donne : il ne veut pas. On ne veut pas : il vole. Crétin !

Ce soir, elle détestait le monde entier.

En fait, elle détestait le monde entier depuis ce jeudi fatal où le policier lui avait appris la mort de Laure. Elle qui, pendant quarante-cinq ans, était passée pour le prototype de la femme « gentille », l'aversion la tenait debout. Sans la haine, elle pourrirait déjà dans sa tombe.

*

Durant trois semaines, Sam Louis déclina les visites. Élise ne se découragea pas, consciente que seule son insistance surmonterait le blocage. De toute façon, elle devait rendre urgemment sa traduction du guide touristique italien à laquelle elle dédiait ses journées, son énergie, ne s'interrompant que pour observer le matou noir dans le pré qui venait plus vite chaque jour vider son assiette, même s'il s'enfuyait sitôt qu'elle approchait.

Le quatrième samedi, Sam Louis autorisa la rencontre.

Lorsqu'elle pénétra dans le parloir, elle perçut un bloc d'hostilité derrière la vitre. Le gaillard la toisait avec intensité.

Elle prit le temps de retirer son manteau, d'accrocher son sac à main au dossier de la chaise et de se carrer confortablement.

Il ne pipait mot.

Une fois assise, elle esquissa malgré elle un geste coquet pour remettre ses cheveux en place, un geste délicat, fluide, très féminin, qui médusa le détenu. Elle le fixa et lui sourit.

– Tu n'es pas habitué, hein ?

– À quoi ?

– À ce qu'on s'intéresse à toi.

Il détourna le regard.

Elle lissa sa manche droite que le manteau avait froissée.

– M'accordes-tu le droit de m'intéresser à toi, Sam ?

Il répéta le terme avec mépris, en le broyant entre ses dents :

– Le droit…

– Tu as des droits.

– Ici ?

– Tu as des droits, pas que des devoirs. Par exemple,

tu n'as pas le devoir d'accepter mon intérêt pour toi ; en revanche, tu as le droit de le récuser.

– Pourquoi je le récuserais ?

– Bonne question. Oui, pourquoi ?

Dérouté par sa propre répartie, piégé, il secoua le front pour brasser ses pensées, les réorienter. Il s'exclama :

– Ces dernières années, plusieurs personnes se sont intéressées à moi : le juge d'instruction, les psychologues, les psychiatres, mon avocat… Qu'est-ce que ça m'a rapporté ?

Il désigna les murs autour de lui.

– Perpète !

Après un soupir, il enfonça sa tête dans ses robustes épaules.

Élise le corrigea :

– Tu confonds tout. Leur attention dérivait de leur métier. Ils recevaient de l'argent pour t'analyser, Sam.

Chaque fois qu'elle proférait « Sam », il battait des cils. Elle s'acharna donc :

– Pas moi, Sam, pas moi.

– Pas toi ? rétorqua-t-il.

– Pas moi !

– Ah oui ? insista-t-il, goguenard.

– Pas moi.

– T'as pas touché de l'argent après ma condamnation ?

– Une indemnisation.

– Alors !

– Alors, si mon intérêt restait pécuniaire, comme celui du juge, des experts, de l'avocat, il se serait évanoui une fois l'argent empoché, non ? J'aurais disparu. Tu ne m'aurais jamais revue. Reçois-tu la visite d'autres parents de victimes ? Sens-tu qu'ils viennent s'acquitter d'une dette en te fréquentant ?

Les lèvres de Sam tremblèrent. Il plia l'échine, vaincu.

– Il n'y a personne.

– Ah !

Il releva les yeux.

– Il n'y a personne et c'est normal ! L'anormal, c'est toi.

– Tu confirmes ce que je disais, trancha-t-elle. Tu n'es pas habitué à ce qu'on s'intéresse à toi.

Un frisson parcourut l'épiderme épais, grumeleux de Sam. L'hypothèse d'Élise se frayait un chemin en lui.

Elle attendit une minute et enchaîna comme si elle s'était dispensée de silence :

– Ta mère adoptive ne s'intéressait pas à toi ?

Il haussa les épaules, apaisé de fouler un terrain connu.

– La mère Vartala ? Elle accueillait des enfants pour palper l'argent de l'État. Elle ne s'en cachait même pas. Un soir, elle a confié à une voisine avec qui elle se croyait seule : « C'est ça ou nettoyer les chiottes. » Je me suis presque réjoui de l'apprendre : on la dégoûtait moins que les chiottes, quelle bonne nouvelle ! Elle avait ajouté : « En fait, j'ai déniché le truc pour m'en procurer plus : je prends ceux dont personne ne veut. » Là, je n'ai pas rigolé. Pourquoi personne ne voulait de moi ? Les jours suivants, j'ai regardé mes frères et sœurs adoptifs, j'ai cherché pourquoi on n'en voudrait pas, et j'ai deviné. Une handicapée. Une Noire. Un Jaune. Un nain. Une à qui il manquait un doigt à chaque main. Mais moi ?

– Oui, toi ? Qu'est-ce qui te disqualifiait ?

– Je ne l'ai jamais compris.

Ils se turent.

– Et le père Vartala ?

– Il travaillait à l'usine. Il rentrait à la nuit, après le bistrot, saoul. À mon avis, il se démerdait pour passer peu de temps avec sa femme.

– S'intéressait-il à toi ?

– Au bout de trois ans, il confondait mon prénom avec celui du Black. Pas méchant, non. Juste pas clair. C'est trouble, un fond de bouteille… Les dépôts de vinasse flottaient dans son cerveau. D'ailleurs, il est mort à quarante ans, ça a dû le soulager.

– As-tu trouvé pourquoi « on ne voulait pas de toi » ?

– Non.

– Et quand tu n'as pas trouvé, en as-tu retiré de la fierté ?

Il se figea. Elle poursuivit à sa place :

– Tu t'es persuadé que la mère Vartala raisonnait juste.

– J'étais maigre. J'ai commencé le sport. La muscu, direct !

– Pas suffisant… En fait, tu as pensé que ta tare t'échappait. Tu t'es méfié de toi.

Il se moucha pour couvrir sa voix. Elle ne se démobilisa pas :

– Tu t'es persuadé d'être un monstre.

Il s'exclama, soudain agressif :

– La suite l'a prouvé ! Tu en connais beaucoup, toi, des mecs qui ont tué quinze filles ?

– Je n'en connais qu'un. Comment la mère Vartala que j'ai rencontrée au procès et qui me semble aussi sensible qu'un char d'assaut a-t-elle pu s'en rendre compte ? Tu n'avais rien fait, à l'époque.

Il bondit, martela la porte et cria à l'intention du personnel dans le couloir :

– Fini !

Elle haussa le ton à son tour :

– Et si elle avait prétendu cela pour les autres, la mère Vartala, juste pour les autres, et pas pour toi ?

Ne lui offrant plus que son dos, il frappa plus fort. Elle persévéra :

– Et si cela ne te concernait pas ?

Il se mit à hurler, face au battant d'acier :

– Vous ouvrez, oui ou merde ?

Le surveillant tardait.

Calme, Élise ajouta d'une voix soyeuse :

– Tu ne t'aimes pas, Sam, parce que personne ne t'a aimé.

Il se retourna.

– Évidemment que personne ne m'a aimé ! C'est légitime : je suis dangereux. Quand je me levais certains matins, je savais que je tuerais le soir.

– Ça, c'était après… Longtemps après… Pas quand tu étais petit. Pas quand tu étais adolescent.

– Elle avait pigé mon avenir, la mère Vartala. Classique pour une sorcière… Je suis devenu celui dont personne ne veut. On me garde ici maintenant, tant mieux, ça me rend inoffensif. La prison me sauve de moi.

– Faux. La prison te sauve de l'autre que tu as vu en toi à la suite des paroles idiotes qu'avait énoncées la mère Vartala. Ce n'est pas toi qui tuais, c'était l'autre, celui qui donnait raison à la mère Vartala. Pas toi, mais le monstre qu'elle et toi vous aviez inventé.

La clé débloqua bruyamment la serrure. Le surveillant apparut.

Rasséréné, Sam se renfonça dans l'apathie. Le faciès lisse, inexpressif, il se pencha vers la vitre qui le séparait d'Élise en contractant ses biceps spectaculaires.

– C'était laquelle ta fille ?

Élise tressaillit.

– Laure.

Il réfléchit et murmura « Laure ». Il sourit.

– Curieux… Je n'avais jamais prononcé son prénom.

– Laure Maurinier, vociféra Élise sans déterminer pourquoi.

Il la fixa, têtu.

– Je t'ai demandé laquelle.

– Je viens de te répondre.

– Quel numéro ?

Une bouffée de haine souleva la poitrine d'Élise.

– La troisième.

– Le boulevard Edgar-Quinet ?

Le souffle coupé, elle approuva.

Sam réfléchit, hésita, puis conclut avec nonchalance en se frottant l'oreille :

– Je ne m'en souviens presque pas.

Il tourna les talons et disparut.

Rentrée chez elle, Élise verrouilla la salle de bains, se déshabilla, enfourna ses vêtements, culotte et soutien-gorge compris, dans la lessiveuse, lança un programme de nettoyage et se glissa derrière le rideau de l'étroite douche.

L'eau coulait sur elle, chaude, douce, secourable, inépuisable. Elle y demeura dix minutes.

Une fois séchée, elle y retourna. Puis en ressortit. Puis recommença.

Durant une heure, elle se lava à quatre reprises. Entre ses ablutions, elle regardait le linge virevolter dans le tambour, paisible, attentive, vide de pensées, habitée par la seule nécessité de se purifier.

Enfin, après sa cinquième douche, lorsque l'essorage débuta, elle s'enduisit le corps de crème, une crème quelconque, modique, achetée au supermarché, dont le parfum d'amande lui parut pourtant le pic du luxe. Sa peau retrouvait l'éclat lisse de sa jeunesse sous les bienfaits de la pâte onctueuse et nacrée. Élise ne s'était pas dorlotée depuis des lustres.

En dépit de ses habitudes pudiques, elle quitta la salle de bains sans se couvrir et circula nue dans le studio. Son appartement ne pâtissant d'aucun vis-à-vis, nul voisin ne la gênerait, elle n'en embarrasserait aucun.

Elle s'allongea sur le canapé. L'esprit lui revenait petit à petit. Elle se rendait compte qu'elle avait échappé à un grave danger.

Aux derniers mots du tueur, elle avait eu mal. Or elle refusait d'avoir mal. Depuis la mort de Laure, elle avait maigri, son teint avait terni, elle s'affublait de tenues sombres, elle se montrait triste, solitaire, asociale, dépourvue d'envies, cependant elle n'avait jamais eu mal. Elle n'avait même pas pleuré.

Depuis ce jeudi odieux, parce que le chagrin rôdait autour d'elle, elle avait calfeutré les portes de son âme. Par une réaction salutaire, elle avait généralisé : Christine, Olivia, Cindy, Amélie, Catherine, Isabelle, Morgane, Anna, Emmanuelle, Lisa, Fatou, Diane, Sarah, Pénélope avaient rejoint Laure dans le dossier

Sam Louis. Elle connaissait désormais aussi bien leur courte vie que celle de sa fille. Durant le procès, elle avait noué des liens avec les parents, pères, mères, frères, sœurs, oncles, tantes, cousins, cousines, grands-pères, grands-mères. Devenue la confidente universelle, l'amie de chacun, elle dont la famille se limitait à ses trois sœurs, ses parents étant décédés et son amant d'un été emporté par le vent, avait élargi et peuplé son cercle d'intimes. Prendre contre son cœur la peine de tous avait tempéré la sienne. Elle avait ensuite décidé de comprendre ce qui s'était produit quinze fois d'affilée et avait investi son énergie dans l'enquête. Les audiences la laissant sur sa faim – Sam Louis, impassible, secret, n'avait manifesté ni remords, ni douleur, ni compassion –, elle était entrée en rapport avec lui à la prison parisienne. Dans ce studio d'Alsace, elle poursuivait son travail en s'abritant encore mieux du passé : rien ne lui rappelait Laure alentour, pas un meuble, pas un bibelot, pas une habitude. Sa fille ne tenait aucune place ici, sauf celle d'un sous-dossier dans le volumineux classeur jaune. Un parmi d'autres.

Cet équilibre difficilement acquis, l'assassin l'avait ébranlé cet après-midi-là. En prétendant ne pas se remémorer Laure, il avait choqué Élise, l'avait irritée, révoltée, violentée. Sa fille relevait de l'inoubliable ! Si ce monstre l'escamotait, elle la lui rappellerait, elle !

Le piège s'ouvrait sous ses pieds : les images remontaient, celles des moments heureux, le sourire de Laure, sa lumière, sa fantaisie, sa liberté, sa bonté. Les flammes du tourment surgissaient, elle allait souffrir.

– Il a menti !

Ce diable de Sam Louis avait entrepris de la coincer et de la faire rôtir en enfer. Elle percevait la ruse. Elle avait résisté en suspendant sa conscience, en cessant totalement de penser.

– Du bluff !

Elle le devinait maintenant : il se souvenait de Laure, même s'il n'avait jamais prononcé son nom. Son but consistait à la blesser.

– Non !

Elle émit un cri de guerrière. Hors de question ! Il ne la manipulerait pas. Avec lucidité et application, elle repoussa les images de Laure qui avaient jailli, les enfonça au fond d'elle, ainsi que le supplice qui les accompagnait, et referma la trappe.

Elle tressauta.

On l'observait.

Son cœur s'accéléra.

Certain ! Des yeux la fixaient. Elle sentait une présence.

Elle se releva d'un coup, sauta sur le tapis et, par réflexe, posa une main sur son sexe, l'autre sur ses seins.

– Qui êtes-vous ?

Sa respiration devint haletante. Elle n'osait plus bouger. La nuque bloquée, elle parvint néanmoins à parcourir la pièce du regard. Personne n'était entré.

Elle se tourna brusquement vers la porte-fenêtre.

Le chat l'espionnait, collé à la vitre.

– Sale bête !

Le chat ne broncha pas.

Élise éclata de rire : elle avait craint une minuscule bestiole efflanquée. Rassurée, préservant encore sa pudeur, elle s'approcha de la fenêtre et s'agenouilla devant lui.

Quoique sur ses gardes, le chat la laissa faire, protégé par la cloison en verre. Face à lui, elle découvrit son nez de jeune fille, rose et fin, court, frivole, elle détailla ses iris jonquille, phosphorescents, pailletés de vert. Elle lui sourit.

– Je te terrorise moins comme ça, petit voyou ?

Il plissa les paupières à son tour.

– Lorsque je suis habillée comme toi ?

Il se redressa, gonfla sa fourrure et, dans un souple abandon, se frotta contre la vitre, sensuel, charmeur.

Le chat décontenançait Élise, il lui semblait familier. Quelque chose en lui… Elle éprouvait l'envie de le toucher, de le caresser, de l'embrasser…

Avec prudence et méticulosité, elle se releva et entreprit d'ouvrir la porte-fenêtre.

Le mécanisme émit un bruit sec. Le chat s'enfuit.

Elle continua, posa les pieds sur la terrasse.

– Minet !

Il n'était parti qu'au milieu du pré, à côté de sa

gamelle ; pour la première fois, il ne s'était pas réfugié derrière les troènes – on devait noter ce progrès.

– Minet ! Minet-minet-minet-minet !

Le chat releva le menton, déglutit, mais ne bougea pas. Ses pupilles, plus jaunes qu'un bouton-d'or, gardaient une fixité dérangeante.

En se frottant inopinément la peau, Élise remarqua sa chair de poule. Mars et ses frimas débutaient et elle se baladait nue sur un pré. Quelle folie !

D'un saut, elle se retira à l'intérieur. Le chat la scrutait toujours, lié à elle par le regard, aussi fasciné que terrorisé.

– Ai-je envie d'apprivoiser un chat sauvage ?

Hiératique, les mâchoires serrées, il attendait la réponse.

– Est-ce que j'aime les chats ?

Les petites narines rosées se crispaient sous le visage triangulaire du félin.

– Non.

On lui avait assuré que ces animaux-là se révélaient égoïstes, dépourvus d'empathie. Ne venait-il pas de le lui prouver en résistant à ses avances ? Elle haussa les épaules, ferma la porte et tira le rideau occultant.

Intentionnellement, elle ne sollicita pas de nouvel entretien avec Sam Louis durant un mois. De toute façon, le temps la favorisait, il ne s'enfuirait pas du cachot au fond duquel il croupissait.

Pendant ce mois, Élise se contenta de passer devant la centrale. Elle contemplait ce grand navire vétuste, immobile, échoué au bord de la rivière Ill, qui n'irait nulle part, et dont les voyageurs n'iraient nulle part non plus. « Maison d'arrêt, voilà le terme juste, jugea-t-elle : ils ont été arrêtés et ils moisiront à l'arrêt jusqu'à la fin de leurs jours. » Elle jouissait de sa liberté de mouvement, elle se rendait là où ça lui chantait, sur les rives de l'eau gazouillante, sous les arbres bourgeonnants, à la pâtisserie, au café, chez elle. Pourtant, elle ne nourrissait aucune illusion sur son autre liberté, celle de la pensée : elle aussi prisonnière, elle tournait en rond dans une cellule. Sa geôle, c'était l'insensibilité de Sam. Un espace qu'elle arpentait sans fin.

Un matin de ciel bleu, elle aperçut sur les berges de l'Ill une haute femme basanée, corsage échancré et mini-jupe, aux jambes magnifiques, interminables ; appuyée au tronc d'un chêne, un genou plié, elle semblait tendre ses formes parfaites à la lumière, faire l'amour au soleil. Les paupières mi-closes, les lèvres entrouvertes, le cou offert, elle caressait de la main droite les rayons qui réchauffaient sa gorge, le début de ses seins, tandis que la gauche se portait de ses cheveux à ses cuisses, passant du geste qui ébouriffait la crinière somptueuse à celui qui flattait sa peau veloutée à l'extrémité de son vêtement. Elle vibrait, indifférente aux promeneurs, dédiée à son amant céleste. Élise la contourna avec gêne.

Le lendemain, elle la croisa au même endroit, sculpturale, impériale, insolente, obscène, semblable à ces dessins de pin-up adorés des routiers. En l'évitant, Élise discerna au lointain le point que fixait la femme, un pan de la prison, dont l'étage supérieur surmontait les remparts. Derrière les grilles d'une fenêtre, un type olivâtre la regardait, bouche ouverte. Élise comprit alors que le mari et l'épouse avaient trouvé un moyen de faire l'amour.

Elle s'enfuit en courant. Depuis combien d'années n'avait-elle pas embrassé un homme ?

Dans son studio, elle se consacra à un nouveau travail de traduction. On lui avait confié un essai sur les Brigades rouges, ces révolutionnaires qui avaient terrorisé l'Italie durant les années 70-80, un groupe dont certains éléments sortaient de prison désormais. Comment réagir ? Devait-on pardonner aux auteurs des attentats ? Étrangère à cette enquête menée par un journaliste romain célèbre, Élise s'instruisait.

Si elle avait renoncé au chat, le chat, lui, n'avait pas renoncé à elle. Dès qu'elle paraissait, il campait dans le jardin. Volontairement indifférente, concentrée sur son texte, elle laissait traîner un œil oblique sur lui.

À mesure que le printemps s'affirmait, le pré se peuplait. Papillons, oiseaux, mulots le fréquentaient. Le chat avait repris ses activités de chasseur, quoique Élise continuât à le nourrir – « Alimenter un mendiant ne revient pas à l'adopter », avait-elle ressassé pour se justifier. Spectaculaire, le chat lui offrait une fabuleuse parade où il constituait un zoo à lui tout seul : tigre lorsqu'il bâillait, guépard quand il s'étirait, il bombait le dos et devenait dromadaire ; en guettant ses proies, il virait au lion, gonflait son jabot de grand-duc, démarrait plus vite que l'antilope, sautait en crapaud, empruntait la fixité du lézard, grattait aussi profond qu'un renard, puis se transformait en écureuil dès qu'il jouait avec une noisette entre ses pattes ; épuisé, il s'aplatissait alors comme une limace.

De temps en temps, pour l'intriguer davantage, il se risquait à des métamorphoses humaines : passant et repassant ses coussinets roses sur son museau, il évoquait un innocent bébé à sa toilette ; ou bien, la cuisse dressée vers le ciel, occupé à se lécher le bas-ventre, il se risquait à des figures de french cancan, atteignant l'indécence sulfureuse d'une Nini Patte-en-l'Air qui réussit le « port d'armes ».

Élise s'en amusait secrètement, l'observant à la dérobée. Résolue à ne pas l'encourager, elle ne se tournait jamais vers lui.

Peu dupe de cette feinte, ne doutant pas d'incarner le centre du monde, il s'installait toujours plus près d'elle et, lorsqu'il s'allongeait, semblait dire : « Oui je sais, je suis très beau. Et quel pelage ! Merci. » Depuis qu'elle avait renoncé à le domestiquer, il avait entrepris, lui, de l'apprivoiser.

– Arrête les frais ! Ça ne marchera jamais entre nous, lui lança-t-elle un soir en refermant sa porte. Nous ne sommes pas synchrones.

Un samedi d'avril, Élise retourna à la prison.

Sam Louis l'attendait derrière la vitre. Ni elle ni lui ne s'étonnèrent que l'entretien se renouât. Ils ne commenteraient pas le mois qui venait de s'écouler. Pendant quelques secondes, ils s'habituèrent à leur présence, puis il demanda d'une voix posée :

– Qu'est-ce que tu fais, en ce moment ?

– Je traduis un livre sur les Brigades rouges.

Il voulut enchaîner mais, faute d'idées précises sur les Brigades rouges dont il ne conservait qu'un vague écho, il se contenta de balancer la tête d'avant en arrière avec un air futé. Élise murmura :

– Et toi ?

– Moi ?

– Que fais-tu en prison ?

– Je tue le temps. À défaut d'autre chose.

Satisfait de sa réplique, il s'apprêtait à rire de sa rudesse ; il s'en empêcha en voyant le visage austère d'Élise. Changeant de ton, il l'informa sèchement :

– J'ai piqué le business d'un Polonais.

– Pardon ?

– Trafic de cannabis.

– Tu plaisantes ?

– Officiellement, je monte des prises électriques multiples en plastique à l'atelier. Faut bien une couverture.

– Tu n'as jamais eu l'intention de pratiquer l'honnêteté ?

– Pourquoi ? Tu crains que, si je me comporte mal ici, on me mette en prison ?

Elle soupira et lui montra, par un geste de la main au-dessus de la tête, qu'elle s'en moquait.

– Alors ? As-tu avancé depuis la dernière fois ?

– Avancé ? Oh… comme tu me parles… tu joues les psys ?

Elle persista, imperturbable :

– As-tu avancé ? Acceptes-tu que je m'intéresse à toi ?

Il se repoussa en arrière et tripota sa lèvre inférieure, un éclair dans les yeux.

– Qu'est-ce qui se passe ? Tu es tombée amoureuse ?

– Allons bon !

– Je t'excite ? Je suis pas mal, non ?

Elle se recula à son tour et, adoptant son jeu, détailla son corps. Sur ses muscles saillants, des étincelles de fierté animaient sa peau et il lui adressa une mimique conquérante. Elle conclut :

– Tu n'es pas mal. Aucun besoin de forcer les filles à coucher avec toi sous la menace d'un couteau.

Quoique son regard s'éteignît, Sam ne sourcilla pas.

On lui avait déjà suggéré cela – les policiers, le juge d'instruction, les experts, l'avocat – jusqu'à l'écœurement. Élise insista :

– Ces filles, elles auraient pu te dire oui.

Il respirait, équanime, inaccessible. Elle continua :

– Tu les aurais séduites si tu t'y étais pris normalement.

Pas de réaction.

– Désirais-tu qu'elles te disent oui ?

De marbre.

– Tu exigeais qu'elles cèdent, pas qu'elles se donnent. Moi, si tu me désirais, je me laisserais éventuellement tenter, mais ça ne te plairait pas.

Il rit, hilare.

– Voilà ce que je pensais : t'es amoureuse de moi.

Élise perdait le contrôle de la conversation. La clarté désertait son esprit. Refoulant la panique, elle se força à se relaxer. Puis elle s'entendit prononcer :

– Je suis une mère, Sam.

Arrogant, il joua les princes :

– Non… tu n'es pas vieille… t'es encore bien.

Élise ignorait où elle s'aventurait ; elle poursuivit, poussée par une intuition qu'elle découvrait :

– Je suis une mère, Sam. Ou plutôt je l'étais. Enfin, quand on l'est une fois, on l'est pour toujours. Même lorsque l'enfant est mort.

Elle batailla contre des larmes perturbantes et se concentra sur les mots qui s'évadaient de sa bouche :

– Je suis une mère.

– La mère d'une fille que j'ai tuée.

– Voilà.

– Et violée.

– Exact.

– Qu'est-ce que tu fous là ?

– Je te regarde comme une mère, Sam. Pas ta vraie mère que tu n'as pas connue. Pas ta mère adoptive qui t'a blackboulé. Comme une mère que tu aurais pu avoir. Et toi, tu es comme un garçon que j'aurais pu avoir.

– T'es cinglée !

– Peut-être. Et toi ?

Il lambina et concéda du bout des lèvres :

– Oui, moi aussi.

Ils partageaient un lien étrange. Deux fous. Deux anéantis. Ils ressentaient un pareil égarement.

Elle reprit :

– Sais-tu ce qu'est une mère ?

– Non…

– Quelqu'un qui ne repousse pas. Quelqu'un qui accueille. Quelqu'un qui aime. Quelqu'un qui ne juge pas. Quelqu'un qui pardonne.

– Il y a des actes qu'on ne pardonne pas.

– Qui te l'a prouvé ?

Il parut pantois.

Se frottant les mains, Élise se pencha vers la vitre.

– Avant de pardonner, il faut comprendre. Moi, je n'ai pas compris tes actes.

– Si tu me comprends, ça ne te rendra pas ta fille.

Elle se redressa, écarlate, fulminante. Les ailes de son nez bleuissaient, palpitaient. Elle vitupéra d'une voix qui tremblait d'exaspération :

– Me crois-tu assez bête pour imaginer que je vais récupérer ma fille ? Vraiment ? Tu présumes que j'ai du goudron dans la cervelle ? Elle est partie, Laure. À cause de toi. Elle n'est plus là. Nulle part. Même pas au cimetière. Absence totale. Totale ! Pas de traces. Pas de signe. J'ai fait tourner les tables. Rien ! La nuit, le jour, je fixe le ciel et je scrute l'infini. Rien ! Je tends l'oreille dans le silence en espérant qu'elle murmurera une phrase. Rien ! Je rentre dans sa chambre intacte en pariant qu'elle va déplacer un objet, écrire un mot dans la poussière, déclencher sa musique préférée. Rien ! Alors, je sais bien qu'un fumier comme toi ne me la rendra pas. Juste fichu de me l'enlever !

Elle avait hurlé. Une seconde, Sam sembla impressionné, voire terrifié par la rage qui la secouait ; mais il se ressaisit et replongea dans sa coutumière apathie.

Élise se rassit, agitée. Durant quelques minutes, elle moulina un seul souci : redevenir normale, cesser de transpirer, ralentir son cœur, réguler sa respiration.

Lorsqu'elle y parvint, elle releva son visage et contempla le colosse amorphe. Sa voix s'atténua pour l'apostropher :

– Éprouves-tu des remords, Sam ? Tu n'as montré aucune contrition au cours du procès. Tu n'as pas non plus manifesté de compassion envers les familles des victimes.

– Ça servirait à quoi ?

– Cela diminuerait leur peine.

– Pff…

– Détrompe-toi. La plupart des familles que…

– Boucle-la avec tes familles ! Moi, je n'ai pas reçu de famille. Clair ? Alors les familles, je les vomis. D'accord ?

Lui aussi venait de s'emballer et se le reprochait. Elle le laissa s'apaiser.

– Abandonnons les familles, Sam. Par le repentir ou la commisération, tu te serais révélé… humain.

– Humain ?

Il réfléchit, imperturbable, moins concerné que s'il jouait au Scrabble.

– Je ne sais pas si j'ai envie d'être humain.

Il valida sa sentence de la tête et poursuivit :

– As-tu vu un tigre chasser ?

Ses yeux brillaient soudain, s'attardant sur une scène connue d'eux seuls. Les lèvres moulées dans un sourire ravi, le front détendu, Sam Louis donnait l'impression d'entrer dans une transe. Pour l'inciter à parler, Élise lui répondit :

– Non.

– Rien de plus beau sur terre. Mon modèle, le tigre… Un solitaire qui possède un territoire et ne le cède à aucun intrus. Lorsqu'il se décide à partir en chasse, à la tombée de la nuit, il affûte ses sens, guette une respiration, détecte un fumet. Tout reste subtil chez ce géant, l'ouïe comme l'odorat. Discret, furtif, invisible, il se déplace à l'abri et conçoit son plan sans que quiconque le remarque. Un magicien du camouflage. Quand toi tu le vois, lui t'a déjà vu mille fois. Sa proie repérée, il se tapit dans un silence absolu. Il ne bondit que lorsque sa victime se trouve à dix mètres, et là, vlan, arrivant derrière elle ou de côté, il la saisit par surprise et lui enfonce ses dents dans la gorge. Ensuite, il la traîne dans un endroit tranquille pour en profiter à son gré... Il commence par le charnu, cuisses ou cul. Nul n'égale son niveau chez les humains, personne n'allie la puissance et la légèreté, la souplesse et la musculation. Personne !

Survolté par son récit, il tapa à pleines paumes sur sa poitrine, ses cuisses, ses bras, provoquant une résonance sourde et creuse de son corps, et ses coups répétés insinuaient le contraire de ce qu'il affirmait : lui s'estimait comme ça, fort et élastique. Lui valait un tigre.

Élise ferma les paupières. En une seconde, elle transposa la chasse du tigre pour l'appliquer aux quinze crimes de Sam : le solitaire qui parcourt la jungle de Montparnasse au crépuscule, qui guette une jeune fille, attend qu'elle sorte de sa voiture, se jette sur elle, l'étourdit, puis l'emporte dans un réduit à poubelles pour se régaler de son corps, cuisses et cul en premier.

Elle faillit défaillir et rouvrit les paupières pour raffermir son équilibre.

En face d'elle, derrière la vitre, Sam Louis avait achevé de se livrer, exalté. D'un coup, Élise se leva, vira sur ses talons et se dirigea vers la porte.

Il geignit, interloqué :

– Hé ! Qu'est-ce que tu fais ?

– Je pars.

– Déjà ? On commençait juste à…

Il n'admettait pas qu'elle s'en allât au moment où, enfin, il se confiait. Il s'en indigna :

– Merde, je t'explique mon idole et tu te barres !

Maîtresse d'elle-même, Élise revint vers lui et, s'appuyant sur le dos de la chaise, lui glissa :

– Tu me parais bien loin de ton modèle, Sam Louis.

– Quoi ?

– Un tigre ne serait jamais venu au parloir. Toi si. Adieu.

Elle disparut sans se retourner.

*

Le chat hérissé bondit, pattes au ciel, griffes sorties, toupilla et manqua le papillon.

– Rrr…

Il pesta en éternuant. Dans ses yeux brillait la flamme d'un sauvage insoumis. Visant la vanesse des chardons aux ailes orange et encre, il s'élança encore. Raté. Une fois. Deux. Trois. Insouciante, allègre, la dame papillon poursuivit sa route incohérente. Le chat feula.

« Il n'a pas inventé le piège à souris ! » songea Élise en remarquant le fiasco.

Échouer rendait le chat hystérique. Il ne pouvait chasser sans que cela se soldât par des cris, des sifflements, des ruades.

Une mouche passa près de lui et, d'un mouvement rapide des mâchoires, il la coinça dans sa gueule. Sidéré d'avoir réussi si aisément, il traversa une seconde d'incrédulité puis, rasséréné, broya la mouche, la savoura, la suça, la croqua, les paupières closes, les dents serrées, enchanté de sa proie. L'insecte valait les trésors d'Ali Baba.

Souple, le pelage moiré, il revint vers Élise qui travaillait sur la terrasse, d'une marche tangueuse, la queue raidie, et il frôla ses chevilles.

– Dégage ! cria Élise en se retirant.

Elle avait pris le chat en horreur. Depuis le récit de Sam Louis, elle décelait un tigre dans le félin miniature, cet égoïsme paisible de prédateur, cette férocité naturelle, instinctive, amorale, qui l'amenait à supprimer une vie d'un coup de patte, qui engendrait l'amnésie totale en s'éloignant du cadavre, l'absence de regrets ou de remords. La cruauté en robe ébène.

– Dégage, j'ai dit !

Elle lui donna un léger coup de pied. Il parut perplexe, ne comprenant pas pourquoi elle ne l'adorait pas, lui qui s'appréciait tant.

La besogne d'Élise ralentissait. Non seulement les

avatars des Brigades rouges ne la captivaient guère, mais son esprit retournait toujours à Sam Louis. Cet individu avait déserté l'humanité pour la bestialité ; depuis des années, il rivalisait avec un tigre. Depuis quand, d'ailleurs ?

– Méou…

Le chat, afin de capter son attention, venait d'entrer dans le studio ombreux. Les reins mouvants, il y avançait en battant de la queue et parcourait les meubles du regard, en propriétaire.

Elle grimaça. Quoi ? En prison, elle fréquentait un homme qui quittait l'humanité pour la bestialité ; ici, elle côtoyait une bête qui quittait la bestialité pour l'humanité. Assez !

Elle frappa tout à trac dans ses mains, ce qui produisit un écho fracassant dans le studio quasi vide.

Un reflet noir jaillit du matelas, se coula comme un poisson entre ses jambes et fila en un éclair derrière la haie.

– Bon débarras.

Elle ferma la porte-fenêtre.

À la salle de bains, elle se contempla dans le miroir. Elle y voyait une étrangère butée. Malgré un maintien droit, elle semblait avoir été battue, les épaules voûtées, les orbites cernées, les lèvres mangées de l'intérieur, les cheveux découragés, sans éclat, présents par habitude sur son crâne, tel un chapeau oublié. À tâter ses joues, ses pommettes, son front, à tirer sur la commissure de ses lèvres ou ses paupières, elle prenait conscience de sa défaite ; son visage avait perdu la perfection d'antan et ne valait désormais que par les expressions qui l'animaient ; son œil n'avait plus que la lumière qu'elle y mettait ; sa peau n'affichait plus que les couleurs qu'un maquillage y ajoutait. D'elle-même, elle était une femme éteinte.

Le jour tombait.

Elle parcourut son minuscule logement. Oh, elle pouvait ratisser partout, personne n'y séjournait. Ni enfant ni homme. Une solitude nouvelle, une solitude qui n'était pas choisie comme à certaines périodes de sa vie, mais subie, dépourvue de foucades, de refus, de bravades, d'attentes, de rendez-vous. Une solitude de vaincue. Pas celle d'une conquérante. Elle soupira.

– De quoi est fait mon soupir ? Surtout ne pas le chercher !

Sur fond de crépuscule bleuté, le chat la scrutait depuis la porte-fenêtre. Lorsqu'elle le remarqua, il gratta la vitre de sa patte rosée, délicatement, gracieusement : il souhaitait entrer.

Elle s'approcha de lui. Il se trémoussa, heureux d'avoir gagné.

– Présomptueux !

Elle s'accroupit, l'observa, et s'observa en train de l'observer.

Il y a quelques années, elle aurait ouvert la porte-fenêtre ; il y a quelques années, elle restait une femme gentille ; elle pensait alors que l'amabilité, la serviabilité, la générosité, la fidélité constituaient d'essentielles qualités ; mieux, d'efficaces vertus. « Avec la gentillesse, ma petite fille, tu vaincras toutes les résistances », voilà ce qu'elle avait enseigné à Laure, laquelle se serait dispensée de la recommandation tant la nature l'avait dotée d'un caractère tendre, confiant, relaxé, compassionnel, tourné vers les autres jusqu'à l'oubli de soi. « La gentillesse est une arme qui désarme », répétait Élise, fière de son enfant. Hélas, elle la haïssait, cette gentillesse, dorénavant. Laure en était morte ! Il aurait fallu la rendre méfiante, dure, paranoïaque, martiale, farouche, soupçonneuse, implacable, pour éviter l'assaut d'un Sam Louis.

Le chat, impatient de la rejoindre, émit une réclamation de sa voix féline, rauque et basse, puis darda sur elle ses yeux jaunes veinés de vert. Il l'attendrissait. Pourquoi le repousser ? Si je…

Soudain, elle se rejeta en arrière : elle avait compris.

La paillette sépia sur la cornée droite !

Le chat possédait la même paillette sépia que Laure, un trait sombre qui traversait la pupille et touchait l'iris, un détail que Laure et sa mère nommaient sa « coquetterie dans l'œil ».

Cette découverte l'épouvanta. Voilà pourquoi, alors qu'elle n'appréciait pas les chats, elle se sentait parfois attirée par celui-ci ! Se redressant, elle cogna le verre avec ses paumes à plat et hurla, telle une démente :

– Fous le camp ! Disparais ! Ça ne marchera jamais entre toi et moi.

Terrifié, le chat déguerpit et se fondit dans la nuit.

Le samedi suivant, ses pas l'emmenèrent à la prison.

Le ciel était vide. Ni bleu ni blanc. Vide.

Élise s'assit en face de Sam, le regarda à peine et se tut. Elle n'avait pas envie de lui poser des questions – quoiqu'elle en conservât plusieurs, brûlantes –, elle n'avait pas envie de le suivre dans le labyrinthe de son esprit pervers, elle n'avait pas envie qu'il la torture en évoquant Laure – ou en ne l'évoquant pas –, bref, elle n'avait aucune envie de l'affronter. Elle se contentait de se présenter. Puisqu'elle le devait. Suffisant, non ?

Déconcerté, Sam Louis n'entama pas non plus la conversation.

Ils se taisaient.

De temps en temps, l'un levait un œil vers l'autre, pour l'entraîner à discuter, pour signifier qu'il s'apprêtait à l'écouter, mais, ces échanges furtifs n'obtenant aucune réponse, le silence perdurait.

D'abord désarçonné, Sam Louis retrouva vite ses habitudes : l'entrevue muette se transforma en rapport de force. Il investissait maintenant toute son énergie à tenir sa langue, escomptant qu'Élise craquât.

Le silence se surchargeait.

Le prisonnier ne cédait pas. La visiteuse s'en désintéressait.

Si Sam dissimulait sa hargne lors de ce bras de fer, Élise, elle, finit par s'en délecter. Pour une fois, elle empruntait le rôle de l'indifférente, de l'amorphe, de l'apathique, de l'inhumaine. Quel soulagement…

Ils passèrent une heure ainsi, attablés à quelques centimètres l'un de l'autre, séparés par une vitre et des pensées aux antipodes.

À la minute prévue, un cliquetis de ferraille retentit, la clé sollicita le verrou, le battant grinça et le surveillant vint chercher le détenu.

Sam se leva avec un rictus malveillant et s'écria, la voix dure :

– Ne reviens pas la semaine prochaine !

La semaine suivante, Élise se présenta à quinze heures pile au parloir et Sam lui sourit.

– Je suis content.

Elle approuva en plissant les paupières. Elle s'assit et dit rapidement :

– Je ne reste, hélas, que cinq minutes.

– Pourquoi ?

– Des rendez-vous.

– Ah…

– Avec qui ?

– Avec personne. Des rendez-vous.

Elle aperçut un nuage de jalousie ombrer le visage de Sam, mais si bref qu'elle en douta.

Il se replia, fort, rond, solide, inexpressif. Un tas de glaise. Tandis qu'il inspectait le carrelage, ses lèvres remuèrent :

– Tu as d'autres enfants ?

– D'autres enfants que… ?

– Que ta fille ?

– Qui ?

– Ta fille !

– Son prénom ?

Il se retint intentionnellement, puis lâcha :

– Laure.

– Heureuse que tu te le rappelles…

Sam détourna la tête. Élise précisa alors :

– Non !

– Quoi ?

– Je n'ai pas d'autres enfants.

– C'est pour ça que tu viens me voir ?

– Peut-être. L'important, c'est que je vienne.

– Peut-être.

Il la fixa de ses gros yeux veules dont les paupières couvraient à moitié les pupilles marron.

– Tu n'as pas eu de fils. Tu aurais aimé avoir un fils ?

– Tu n'as pas eu de mère. Tu aurais aimé avoir une mère ?

Ils s'examinèrent avec une bienveillance parcimonieuse. Ils s'apprivoisaient.

Sam aspirait à parler.

– Je voudrais comprendre.

– Oui ?

– Toi, tu veux comprendre pourquoi j'ai fait ce que j'ai fait. Moi, je voudrais comprendre pourquoi tu fais ce que tu fais. On y arrivera ?

– J'en ai la certitude, Sam.

Elle sourit, chaleureuse.

– Ne juge pas les femmes d'après celles de ton enfance, ta mère qui t'a abandonné, madame Vartala qui…

– Ma mère ne m'a pas seulement abandonné !

Il avait bredouillé de façon précipitée, les mots jaillissant d'eux-mêmes.

– Elle m'a lâché deux fois. La Vartala aussi. Elles m'ont toutes trahi à répétition.

Il la fixa, terrorisé par ce qu'il avait révélé.

Elle afficha une expression apaisante.

– Ne crains rien. À moi, tu pourras tout dire. Aujourd'hui, ainsi que je te l'ai annoncé, je m'éclipse. La semaine prochaine, tu me raconteras.

– Si tu…

– Je serai là, Sam. Je ne te laisserai pas. Compte sur moi. Je serai là. Comme une vraie mère. À samedi.

Il demeura bouche bée.

Élise quitta la centrale, épousseta sa veste, sa jupe, et s'installa à la terrasse du premier café qu'elle trouva.

Le soleil l'éblouissait.

Bien sûr, aucun rendez-vous ne l'attendait. Elle souhaitait juste éviter que Sam parlât par accident ; il fallait qu'il ait besoin de lui parler. Une longue semaine contribuerait à attiser ce désir.

Quant à elle… Si elle savait ce qu'elle espérait de lui, elle ignorait toujours ce qu'elle espérait pour elle. Cependant, ça frémissait, le dénouement se profilait dans un futur proche, elle le sentait, il surgirait. Elle finirait bien par élucider pourquoi elle visitait ce pervers depuis des années, pourquoi elle s'infligeait de le côtoyer, de le regarder, de l'écouter…

Ce soir-là, un orage se déchaîna.

Pluie, tonnerre, éclairs, tout exprimait une fureur du climat. Les gouttes criblaient le sol aussi intensément que des balles de mitraillette ; une humidité détestable, tel un gaz, traversait murs et fenêtres.

Pour se protéger du bruit, Élise en rajouta : elle alluma la télévision dont elle se servait si peu et un feuilleton policier américain grossit le vacarme de ses détonations et de ses sirènes.

Au milieu de cette apocalypse, elle perçut un grattement. Inquiète, redoutant l'irruption d'un rôdeur, elle aperçut très vite derrière la vitre le chat, mouillé, piteux, qui la suppliait d'entrer. Elle lui cria :

– Retourne à ta place, dehors ! Tu es un animal sauvage.

Il insista en plaquant ses coussinets roses contre le verre.

– Méou…

Sans prendre la peine de tirer le rideau, elle partit se coucher.

Le lendemain dimanche, le chat ne se montra pas.

– Enfin !

Élise se cala sur sa terrasse que le soleil séchait, réjouie d'en profiter sans être distraite par les comédies ou les exigences du félin.

Ce jour-là, elle termina sa traduction. Comblée, elle ajustait le dernier mot de son ouvrage lorsqu'une pluie drue s'abattit. On annonçait pour la nuit un orage aussi violent que la veille. Les gouttes flagellaient les carreaux, cinglaient les murs.

Elle rentra et, cherchant dans ses musiques celle qui convenait à sa cuisine, elle choisit des airs cubains.

En sautant d'une casserole à un couteau-éplucheur, elle dansait, joyeuse. *Pepito mi corazon.* Lorsque les rythmes tropicaux arrivèrent à leur terme, elle les relança.

– Le cha-cha-cha, il n'y a que ça, susurra-t-elle en ondulant des hanches.

Au fait, que devenait le chat ? Malgré le déluge, il n'avait pas frappé au carreau. Dommage, elle lui aurait peut-être ouvert, ce soir…

Le lundi, Élise se réveilla de fort méchante humeur. Elle allait devoir relire sa traduction – la partie fastidieuse de son travail – et prévenir l'agence qui l'employait qu'elle livrerait le texte avec une semaine de retard.

Sur la terrasse, café en main, elle se pencha sur son écran.

– Où est-il ?

Même si elle le repoussait, elle s'était habituée au chat. Sans lui, le studio lui semblait plus sinistre, le pré plus laid. Certes, elle avait souvent souhaité son départ, mais elle s'alarmait que son vœu fût subitement réalisé.

Délaissant sa table, elle traversa le jardin, s'infiltra dans la haie à l'endroit où troènes et lauriers-palmes se joignaient, puis, avec difficulté, en s'écorchant, déboucha de l'autre côté.

– Minet !

Pas de réaction. De toute façon, le chat n'avait jamais répondu à son nom. Du reste, il ne portait pas de nom.

– Minet-minet-minet !

Elle se résolut à contourner le pré à l'extérieur, ce qu'elle n'avait jamais tenté. Elle détaillait le pied de tous les arbustes, comptant voir le chat jaillir.

Rien.

Avait-il changé de territoire ?

Elle retournait vers son immeuble lorsqu'elle aperçut une forme suspecte sur la route adjacente, un paquet de poils à la couleur du félin. Elle s'approcha en hâte.

Le chat gisait sur le bitume, flanc ouvert, viscères à nu, le pelage maculé de sang brun. Engourdi, les yeux hagards, il gémissait, agonisant.

Élise n'hésita pas. Elle courut chercher un plateau qu'elle couvrit d'un linge, revint sur la route, y déposa le chat avec précaution, puis se rua à la clinique vétérinaire qu'elle avait repérée sur le chemin de la prison.

Sitôt qu'elle débarqua, la secrétaire appréhenda la situation et alerta d'urgence le vétérinaire et ses assistants.

On allongea le chat sur une table chromée.

– Il a été mordu par un chien, diagnostiqua le vétérinaire. Avec acharnement. Sauvagement. Salement. Incroyable qu'il respire encore…

– Peut-on faire quelque chose ?

– Pas grand-chose, non.

– Je vous en prie !

– Je pourrais l'opérer, certes. Mais cela va durer, sans garantie de résultat.

– Je vous en prie, essayez !

Elle avait crié. Il indiqua avec compassion :

– Ça coûtera cher.

– Essayez ! S'il vous plaît… Je paierai.

Le vétérinaire et ses assistants en déduisirent qu'ils s'adressaient à une maîtresse viscéralement attachée à son animal et, avec diligence, préparèrent le chat pour le bloc opératoire. En réalité, Élise fixait le félin, ses muscles à vif, ses tendons brisés, son ventre déchiré par les canines, et songeait à Laure dont la chair avait été, elle aussi, lacérée.

Le mardi, à huit heures, elle gagna la clinique, ainsi qu'on le lui avait proposé.

– Alors ?

Le vétérinaire se gratta l'oreille.

– J'ai rentré les viscères, recousu ses muscles, refermé la peau. Nous le traitons aux antibiotiques pour éviter l'infection.

– Il est sauvé, donc ?

Le vétérinaire se racla la gorge.

– J'ai tout tenté, ainsi que vous le souhaitiez. Mais je ne vous assure pas qu'il s'en tirera. Trop de chocs : le combat, ses blessures, l'opération. Il reste vulnérable. Très. Il ne s'est pas réveillé. Nous le nourrissons par sonde. Nous le surveillons de près. Au fait, comment s'appelle-t-il ? Que nous prononcions son nom pour le stimuler.

Élise baissa les yeux, embarrassée, puis déclara avec assurance :

– Minet.

– Pardon ?

– Il s'appelle Minet. Pas original, d'accord. On l'avait déjà baptisé ainsi lorsqu'on me l'a confié.

Elle tourna les talons.

Le mercredi, le vétérinaire se montra moins optimiste :

– Il entrouvre les paupières mais il ne bouge pas. Il souffre beaucoup, malgré la morphine. Si j'augmente la dose, il risque de… vous comprenez.

– Bien sûr.

Il attrapa les poignets d'Élise et les serra dans ses paumes.

– Sans virer au catastrophisme, madame, je vous conseille de vous préparer au pire. À demain.

Le jeudi ne fournit pas de meilleures nouvelles, le vendredi non plus. L'équipe vétérinaire, quoique mobilisée, perdait espoir.

– Les vingt-quatre prochaines heures s'avéreront décisives. Je vous engage à passer demain. Pas le matin, car j'opère.

– Bien. Je viendrai après…

Élise avait failli dire « après la prison », mais se retint. Elle conclut, comme on cadenasse sa porte :

– Seize heures demain !

– Voulez-vous voir Minet ?

– Pardon ?

– J'imagine que vous désirez caresser Minet, lui parler…

Elle paniqua. « Minet » ? On s'engluait dans un quiproquo : elle n'était pas la maîtresse du chat, elle n'aimait pas ce chat, pire, elle le détestait. Elle l'avait ramassé, apporté ici par… humanité. Histoire de ne pas se comporter comme un indifférent, un salaud, un assassin, rien de plus. Une question de décence. Qu'attendait-on d'elle, à la fin ? Qu'elle ait jeté le chat agonisant dans une poubelle. Une poubelle ? Comme… L'image de Laure explosa dans son esprit. Flairant le danger, elle se referma et décocha un regard paniqué au vétérinaire.

– Non merci, pas maintenant.

Le samedi, à quinze heures, Élise et Sam se retrouvèrent dans le parloir aux murs coquille d'œuf.

Pour la première fois, ils bavardèrent simplement, d'une façon fluide, évoquant le temps, l'actualité politique, la prison, ses gardiens… Ils s'étaient assez pratiqués pour savoir que l'essentiel patientait derrière les fadaises rassurantes ; ils s'accordaient à profiter de ce répit.

Sam se détendit et craqua les jointures de ses doigts avec le bruit sec d'une noix qu'on fracture. Élise commit une erreur : elle étudia les mains du costaud sur la planche du parloir. Relâchées, aplaties, quasi mortes, elles se composaient de phalanges courtes, velues, aux ongles pâles et striés, mal coupés. Un spasme secoua leur chair. Elles se cabrèrent comme une panthère qui fait le gros dos, prêtes à bondir. Élise se pétrifia. C'étaient ces mains-là qui avaient frappé Laure, des mains de tueur ! La nausée l'envahit, elle porta une paume à sa bouche, son déjeuner remontait, elle voulut fuir.

– Ça ne va pas ? demanda Sam avec une sollicitude réelle.

Élise releva la tête, fixa ses prunelles, et, quoique les yeux de Sam ne valussent pas davantage que ses mains, elle parvint à maîtriser son dégoût.

– Rien de grave. J'ai avalé quelque chose qui…

Pour abonder dans son sens, Sam lui décrivit les piteuses pitances que l'on glissait parfois, ici, dans leurs gamelles, se lançant dans une chronique des cuisines carcérales. Élise ne prêta pas attention à ce monologue qui lui permit néanmoins de se remettre. Elle l'interrompit :

– La semaine dernière, Sam, tu as formulé quelque chose d'important. Tu m'as avoué que les femmes t'avaient abandonné. Ta mère. Madame Vartala.

– Évident, non ?

– Deux fois. Tu m'as précisé que chacune t'avait abandonné deux fois. Moins évident, ça…

Il refit craquer ses doigts. Elle insista, suave :

– Raconte-moi, Sam.

– Ma mère, elle m'a abandonné à la naissance. Bon, banal au fond, ça arrive depuis des siècles ce genre de truc, la gamine défavorisée, immature, influençable… Hop, on se débarrasse du chiard, on le confie aux autorités, ni vu ni connu. Moi, j'ai toujours pensé que ma mère, elle, avait juste été une victime.

– Tu as raison.

– Tu parles ! À un moment, j'ai espéré la rencontrer. Un truc d'ado. Treize ans. Ça m'obsédait. Parce qu'elle avait accouché sous X, on ne pouvait pas officiellement me livrer son identité, mais je connaissais quelqu'un qui possédait l'info, René, un éducateur que j'avais croisé dans mon premier orphelinat. Je l'ai déniché et j'y suis allé. Il s'est cabré, bien sûr, alors je lui ai sorti le grand cinéma : j'ai chialé, je me suis roulé par terre, j'ai beuglé que j'en faisais une question de vie ou de mort, j'ai menacé de me suicider, etc. Tu sais quoi ? Facile ! Comme du vrai. Aujourd'hui, je n'y réussirais pas. Faut dire que j'avais treize ans, et qu'à cet âge…

Il jetait un regard ahuri sur l'adolescent d'autrefois. Élise craignait qu'il s'arrêtât.

– Et alors ?

– René m'a promis d'intercéder. Il a joint ma mère. Elle lui a volé dans les plumes ! Elle lui a hurlé qu'elle refusait de me voir, qu'elle s'en fichait, que je ne comptais pas plus qu'une merde qu'elle aurait chiée au bord d'un chemin, d'ailleurs c'était bien ça que j'étais, une merde qu'elle avait chiée au bord d'un chemin !

Élise déglutit, choquée par tant de dureté. Il poursuivit, halluciné :

– Je n'ai pas réagi. Je flairais que René ne me mentait pas. Je ne l'ai même pas cogné pour m'avoir répété ça. J'avais mal. Point final. Pas de chance, la mère Vartala s'y est mise aussi à frapper dur. Tout le monde me boxait, à l'époque. Elle me traitait de bon à rien parce que je glandais à l'école, de cochon parce que je me masturbais sur des journaux de cul, de vicieux parce que je zieutais mes sœurs adoptives lorsqu'elles se lavaient. Pourtant, c'est normal, tout ça, non ?

– Oui, Sam. Je n'ai pas élevé de garçons, mais je considère que tu agissais normalement. Sauf négliger l'école.

– OK ! Moi, j'avais du sperme plein les couilles, à ne plus savoir qu'en faire. J'ai donc tenté ma chance. Avec qui je copinais le mieux ? Avec mes sœurs adoptives... J'ai dragué Zoé. Elle m'a rembarré. Je me suis accroché. D'accord, un brin trop. Après, je me suis approché des deux autres. Merde, moi je proposais des choses agréables, des choses bonnes, des choses qui plaisent, mais elles gueulaient comme des oies qu'on égorge. Putain, en entendant ça, je les aurais étranglées. Peut-être que je l'ai un peu fait...

Il baissa la tête.

– La mère Vartala m'a dénoncé, a déclaré que je représentais un danger public, qu'on devait l'en débarrasser. En fait, je crois qu'elle lorgnait déjà un couple de jumeaux métis qu'on lui a confié ensuite et qui lui rapportait le double. On m'a refoutu en centre éducatif. La plaie ! Les filles m'excitaient encore et encore. Elles me rabrouaient parce que j'allais vite au but. « Trop brusque », elles rabâchaient. Fallait traînasser à la case plaisanterie, allers-retours, discussions niaises, diabolo menthe, tasse de thé, je-te-touche-mais-je-ne-te-touche-pas, je-t'embrasse-mais-je-ne-t'embrasse-pas, je-sens-que-tu-bandes-mais-je-fais-semblant-de-pas-le-remarquer, pas-ce-soir, pas-la-première-fois, j'ai-envie-mais-je-ne-me-sens-pas-prête, j'ai-besoin-d'être-amoureuse, tous les trucs insupportables des filles ! Merde, il n'y a rien de plus naturel, pour un garçon et une fille, que de baiser ensemble. Non ? Pourquoi tant de flaflas ? J'ai commis ma première connerie.

– La femme que tu as violée à la sortie du bus ?

– Ouais. Et la mère Vartala m'a de nouveau trahi. Au procès, elle est venue m'enfoncer, elle a braillé que j'étais un monstre, une brute, une bête… Elle essayait de passer pour une martyre – sans doute qu'on distribuait une prime pour ça… J'ai filé en prison. Et là…

– Là quoi ?

– Là j'ai compris. J'avais toujours kiffé la chasse. Chez les Vartala, je braconnais, je fabriquais des pièges, j'arpentais les bois, les champs, je me tapissais derrière un buisson pendant des heures. J'en avais dépecé des lièvres, plumé des cailles et des faisans. À la bibliothèque du centre pénitentiaire, je me suis renseigné sur les techniques de chasse et j'ai vu un reportage sur les tigres. La révélation : je n'étais pas un homme, j'étais un tigre. Les humains me rejetaient ? Normal, je n'appartenais pas à leur groupe. Je les effrayais ? Normal, j'étais un tigre. D'ailleurs, ils m'avaient bouclé au zoo, au cachot, derrière des grilles, leur réflexe quand ils pétochent. Du coup, tout s'est dégagé. J'ai cessé d'accuser ma mère.

– Pourquoi ?

– Une tigresse, ça met ses petits au monde, et, dès qu'ils se débrouillent, ça les envoie ailleurs. Dehors ! Ouste ! Pas d'états d'âme. Une tigresse ne reconnaît plus ses enfants, elle se battra contre eux pour bouffer une antilope ou parce qu'ils empiètent sur sa zone. Donc, plus d'hésitations : ma mère était une tigresse et moi un tigre.

– Alors ?

– À ma sortie de prison, deux ans après, j'ai commencé à vivre comme je le devais. J'ai repéré mon territoire, Montparnasse, je l'ai marqué en y pissant partout la nuit, et après je me suis déniché différentes tanières, chez des mecs.

– Excuse-moi de te stopper, Sam, mais ces hommes, tu couchais avec eux.

– Non.

– Si.

– Eux couchaient avec moi. Moi, je ne couchais pas avec eux. Je ne suis pas pédé.

– Pardon ?

Il tapa du pied.

– Je ne suis pas pédé. Clair ? Les types me touchaient, je les laissais faire. À l'occasion, je les tripotais sans regarder. Ensuite, ils me refilaient de l'argent, parfois de la bouffe, parfois une chambre. Je n'étais pas pédé :

je plaisais aux pédés, nuance ! Moi, quand j'ai envie, j'ai envie d'une femme. Malheureusement les femmes…

– Oui ?

– Les femmes, c'est lent. Les femmes, c'est idiot. Les femmes, c'est compliqué.

– Stop ! Merci. Plus la peine de continuer.

Il la dévisagea, heurté.

– Mais…

Elle s'expliqua avec calme :

– Je connais la suite. Tes chasses… Tes proies… Quinze fois…

– Mais…

Elle lui tenait tête.

– Sam, j'ai une question pour toi, très importante, à laquelle je te demande de me répondre avec la même sincérité que celle que tu viens de montrer. Est-ce que cela t'a donné du plaisir ?

– Quoi ?

– Sois franc : les quinze fois, est-ce que cela t'a donné du plaisir ?

Il la fixa longuement puis confessa :

– Non… Ni plaisir ni déplaisir.

Il se gratta l'épaule et ajouta :

– Incompréhensible…

– Pas du tout.

Il s'étonna de l'assurance qu'elle manifestait :

– Pardon ?

– Tu éprouvais du plaisir avant, à l'idée de le faire, n'est-ce pas ?

– Oui.

– Puis du plaisir après, à l'idée que tu l'avais fait ?

– Oui.

– Mais pas pendant que tu le faisais ?

– Exact.

– Normal !

Il fronça les sourcils. Elle répéta d'une voix berceuse :

– Normal. Tu ne t'en réjouissais pas parce que tu satisfaisais un autre. Le monstre. Celui auquel croyait la mère Vartala. Le tigre. Celui que tu te croyais. Un autre, Sam, un autre !

Il se figea, sidéré. Elle poursuivit :

– Le vrai Sam diffère d'un monstre ou d'un tigre. Le vrai Sam, c'est un garçon qui aurait adoré avoir une mère, la connaître, qui aurait aimé l'aimer. Le vrai Sam, c'est un adolescent qui mendiait l'affection de la mère Vartala. Le vrai Sam, c'est un homme tendre, sensible, qui, pour se protéger, a inventé un fauve lui servant d'exemple. T'as entrepris tout cela pour ne pas souffrir, Sam, mais tu aurais mieux fait de souffrir.

Les lèvres de Sam tremblaient.

– À plusieurs moments, tu as désiré renoncer à l'humanité, Sam, parce que tu n'y repérais pas ta place, parce que tu imaginais qu'elle ne voulait pas de toi. Tu as manqué de patience, Sam, voilà à quoi se réduit ta faute. Tu as manqué de confiance, Sam, cela ne relève pas de toi. Remonte à ces moments, remonte à ces résolutions que tu as prises à l'emporte-pièce : ne plus se fier à l'amour des femmes, ne pas attendre l'accord des filles, imiter le tigre. Ensuite, remonte avant ces moments-là, dans ton innocence, dans ta fragilité, dans ta pureté, et tu y repêcheras un Sam tout différent, celui qui aurait décidé autrement, celui qui n'aurait pas tué quinze femmes, celui qui ne moisirait pas au pénitencier.

Elle colla ses paumes sur la vitre, comme si elle saisissait le visage du prisonnier entre ses mains.

– Ce Sam-là, je veux que tu le ressuscites. Ce Sam-là, je veux lui parler, je veux le voir, je veux le fréquenter. Ce Sam-là, je l'espère depuis deux ans lorsque je pénètre dans la prison. Rends-le-moi, ce Sam-là. Rends-le-nous. Rends-le-toi.

Des larmes affluèrent aux paupières du détenu. Élise ne savait plus qui elle était, où elle se trouvait, ni ce qu'elle proférait. Portée par un mouvement impérieux qui surgissait du plus profond d'elle, elle découvrait chaque seconde ce que sa bouche énonçait.

– De ce Sam-là, j'accepte de devenir la mère. Il peut sortir de son oubliette, s'appuyer sur moi pour se reconstruire, oser vivre, affronter l'autre Sam, le tueur, le prédateur, lui ordonner, à ce Sam-tigre, de réintégrer sa tanière. Tu m'entends, Sam ? Je veux bien être ta mère. Ta vraie mère. Pas ta génitrice qui a ignoré l'enfant merveilleux à côté duquel elle passait. Pas ta mère d'adoption qui possédait un portefeuille à la place du cœur. Ta véritable mère, choisie, fidèle. Le Sam-monstre, le Sam-tigre, il leur appartient, à ces femmes, il fut produit par leurs défauts. Elles t'ont fait rater la marche qui permet à un gamin d'accéder à l'état d'homme. Tu n'as pas trébuché, Sam, elles t'ont poussé. Or elles ne résument pas le monde, je suis venu, moi, je suis là.

Sam se mit à sangloter.

Élise lui sourit avec tendresse. Il bafouilla entre deux hoquets :

– C'est toi… toi dont j'ai tué la fille qui… me proposes ça.

– Que je suis prête à t'aimer ? Oui, c'est moi, Sam.

Il se cacha le visage pour larmoyer davantage. Luttant contre l'étouffement, il parvint à articuler plusieurs fois :

– Oh, je regrette… Si tu savais comme je regrette… je…

Élise éprouvait un soulagement, une paix nouvelle, quelque chose de moelleux et de lumineux.

Elle s'entendit alors dire :

– Je te pardonne, Sam.

À ces mots, il lui sembla qu'elle quittait ce monde, ses reliefs, ses formes, ses odeurs, ses couleurs. Du plafond coulait une force intense qui l'enrobait et la soulevait avec légèreté.

Elle répéta :

– Je te pardonne, Sam.

Puis elle céda à l'éblouissement.

Quelques minutes plus tard, les deux gardiens qui vinrent clore la séance de parloir furent stupéfiés par ce qu'ils découvrirent en ouvrant la porte : d'un côté, une visiteuse qui gisait évanouie sur le sol, un sourire dessiné aux lèvres ; de l'autre, un hercule qui pleurait à chaudes larmes en poussant des cris d'enfant.

À la sortie de la prison, ranimée, rafraîchie, requinquée par un sucre imbibé d'alcool de menthe, Élise se sentit étrangement vide. Elle longea les hauts murs qui portaient, à leur crête, des bigoudis en fils barbelés, avança en somnambule, inconsciente des trottoirs que ses pieds foulaient, des piétons que ses épaules évitaient, des feux rouges ou verts auxquels ses yeux obéissaient.

Après plusieurs carrefours, elle buta devant une façade bleue dont la familiarité suspendit sa rêverie. La clinique vétérinaire… Ne devait-elle pas y entrer pour le chat ?

Elle poussa la porte. En la reconnaissant, la secrétaire s'élança à l'arrière du bâtiment et en ramena le vétérinaire. Le front soucieux, l'air éploré de circonstance, il lui annonça que le pronostic vital se dégradait et que l'animal ne passerait pas la nuit.

Élise ne répondit pas. « Quelle importance ? » songea-t-elle.

Le vétérinaire insista :

– Il stagne, il ne réagit plus. Quant à boire ou s'alimenter, impossible de l'y contraindre. Contrairement à ce que les humains affirment, les bêtes devinent leur fin. Lorsqu'elles se savent condamnées, elles ont la sagesse de se laisser couler dans la mort.

Élise approuva de la tête, imperméable. Rien ne troublait son apathie.

– Voulez-vous le voir ?

Comme elle demeurait bouche cousue, il lui attrapa le bras et l'emmena. Par désintérêt, elle ne résista pas. Vacante, ramollie, sans ressort, elle glissa à travers les couloirs.

Ils pénétrèrent une salle éclairée au néon, remplie de cages de tailles diverses qui flanquaient les parois. Dans les vastes reposaient des chiens, dont les paupières se levèrent pour identifier les intrus. Des chats plus vifs occupaient les petites.

Le vétérinaire conduisit Élise vers le dernier habitacle, à hauteur d'homme.

Un pelage noir, inerte, s'y tenait. On n'apercevait que le dos du gisant tourné vers le fond de sa cage.

– Il est mort ?

– Non, il respire encore.

Élise s'approcha du grillage et chuchota, sans s'en rendre compte :

– Minet ! Minet-minet-minet !

Deux oreilles se dressèrent.

Encouragée, elle recommença :

– Minet !

Le chat souleva son crâne avec peine et, le virant en arrière, découvrit la présence d'Élise.

– Méou…, dit-il faiblement.

Élise poursuivit machinalement :

– Comment vas-tu, Minet ? Hein, comment vas-tu ?

Elle avait sucré son ton pour ne pas le rudoyer.

Il appuya sur ses pattes, grimaça, se déploya de façon saccadée et parvint à se retourner pour la dévisager.

– Méou ! lança-t-il d'une voix plus forte.

Il tapota le grillage avec ses coussinets roses, comme il le faisait sur la porte-fenêtre.

– Mais… il n'avait pas bougé depuis des jours ! s'écria le vétérinaire.

Il poussa le verrou et ouvrit la cage.

Élise saisit subtilement le malade en prenant garde à ne pas comprimer ses flancs ou ses membres pansés. Il se confiait, comme désarticulé, à ses mains. Avec lenteur, elle le blottit contre son ventre et le caressa. Sous ses doigts, elle percevait les palpitations d'un petit cœur pur, éperdu de joie, ainsi qu'un ronronnement doux, naissant, lequel demandait juste un peu de confiance pour s'amplifier.

– Incroyable, murmura le vétérinaire. Je n'ai jamais vu un chat qui aime autant sa maîtresse.

– Pardon ?

– On sous-estime toujours les sentiments des animaux. Regardez votre chat. Pour survivre, il avait besoin d'une raison de vivre : vous. C'est son amour, c'est votre amour qui l'a ressuscité.

Élise, secouée, gagnée par la fervente tendresse qu'elle serrait entre ses paumes, glissa à terre, enfouit son nez dans le pelage douillet, soyeux, chaud, et, pour la première fois depuis cinq ans, elle commença à pleurer.

*

Elle bouclait sa valise lorsque l'avocat de Sam Louis l'appela.

C'était son ultime matin à Ensisheim. À neuf heures, l'employée de l'agence avait rédigé l'état des lieux, restitué la caution et conseillé à Élise de jeter les clés dans la boîte aux lettres en partant. À midi, une voiture s'était garée au 5 de la rue Steinberg, taxi dont le chauffeur chargeait actuellement ses bagages.

Au téléphone, l'avocat se présenta en évoquant leur rencontre, lors du procès de Sam Louis, où… Aussitôt, elle le coupa en lui assurant qu'elle se souvenait de lui.

– Que voulez-vous, maître ?

– Écoutez, ma démarche sort un peu de l'ordinaire. Mon ancien client, Sam Louis, m'a contacté pour vous joindre.

– Ce qui est fait. Ensuite ?

– Mmm… Il prétend que vous l'avez régulièrement visité depuis deux ans.

– Exact.

– Il s'est produit quelque chose de prodigieux, madame Maurinier : Sam Louis s'est rendu compte des horreurs qu'il avait commises ! Sam Louis a conscience qu'il a ôté arbitrairement la vie à quinze femmes innocentes. Il le regrette. Vivement. Suprêmement. Douloureusement. Lui qui décrivait auparavant ses meurtres avec l'objectivité d'une caméra vidéo, il s'effondre maintenant au souvenir de sa violence, de ses coups, lorsqu'il se rappelle le regard terrifié des femmes, leurs cris, leur résistance. Il semble hanté. Il découvre aussi qu'il a gâché l'existence de quinze familles. Depuis un mois, il écrit à tous les proches des victimes pour leur exprimer sa compassion, sa repentance. Une sorte de miracle, madame Maurinier. Et ce miracle, d'après lui, il vous est dû.

– Ah oui ?

– Il est devenu humain, madame. Lui ! Ayant été chargé de sa défense, je ne devrais pas l'accabler, mais cette métamorphose m'ébahit.

– Vous a-t-il précisé... à quel moment... il est devenu... humain ?

– Le jour où vous lui avez pardonné.

Élise fixa un passereau au plumage charbonneux qui se posait sur le pré. L'œil cerclé d'un anneau jaune, tel un monocle, il observait les alentours.

L'avocat continua, hâtif :

– Il pleure, il sanglote, il suffoque, il souffre. Depuis un mois et demi, c'est un autre homme. Ou plutôt : c'est un homme. Il désire vous retrouver, madame. Il ne vous a pas parlé depuis huit semaines. Accédez à sa requête, je vous en prie. Vous seriez si surprise.

– Je ne crois pas.

– Comment ?

– Je ne crois pas que je serais surprise. Mon but, en dialoguant avec lui, consistait à l'amener là : intégrer l'humanité.

– Vous êtes une sainte.

– Ce ne fut pas facile.

– J'aurais parié sur l'échec. Est-il vrai – pardonnez mon indiscrétion mais… Est-il vrai, chère madame, que vous lui avez… pardonné ?

– Oui.

– Admirable !

– J'en suis ravie. C'est ce que je pouvais lui faire de pire.

– Comment ?

– Dites-lui deux choses de ma part, maître. Dites-lui d'abord que je n'irai plus jamais le voir.

– Mais…

– Et dites-lui ensuite, maintenant qu'il a rejoint l'humanité…

Elle réfléchit, s'éclaircit la voix et prononça posément sa formule :

– Bienvenue en enfer !

Sans un mot de plus, elle raccrocha.

Dans l'herbe, le merle sautillait, penchait la tête pour

scruter la terre, becquetait des graines, avançait par à-coups, comme s'il n'était pas constitué d'os mais de ressorts. Depuis des semaines, il s'était emparé du pré avec un sens aigu du territoire, comme le chat avant lui.

Le chauffeur de taxi désigna une valise sur le seuil.

– La dernière ?

– Oui, merci, de la charcuterie pour mes sœurs.

– Je vous attends dans la voiture.

Élise jeta un coup d'œil autour d'elle, le jardin fleurissant, la merlette brune qui se toilettait sous les lauriers-palmes, les mésanges charbonnières qui s'enhardissaient jusqu'à la terrasse, puis elle agrippa un panier d'osier au sol et déclara en brandissant la clé :

– Adieu, Ensisheim ! On s'installe à Paris. D'accord ?

Au fond du panier, le chat approuva.

DESSINE-MOI UN AVION

– S'il te plaît, dessine-moi un avion.

Werner von Breslau se retourna. Une fillette aux yeux immenses, auréolée de cheveux blonds aussi fins qu'un duvet, lui tendait carnet et crayon. Confiante en son autorité, elle fixait les mains de l'homme, sûre de leur obéissance.

– Comment as-tu pénétré dans mon jardin ?

Elle releva la tête vers lui, étonnée de devoir énoncer une telle évidence :

– J'ai escaladé le mur.

– C'est périlleux.

– Le chat le fait tous les jours.

– C'est interdit.

– Le chat le sait ?

Elle le considérait avec tranquillité, comme s'ils partageaient une familiarité immémoriale ; or il la dévisageait pour la première fois. Devinant les questions qui agitaient son esprit, elle ajouta avec un sourire bienveillant :

– Je m'appelle Daphné, j'ai huit ans et j'habite la villa d'à côté.

– Ah…

– Tu l'ignorais ?

– Oui. Depuis quand ?

Elle lui lança d'un air grave :

– Depuis toujours…

Ce « toujours » l'impressionnait elle-même.

Werner von Breslau s'amusa de cette éternité circonscrite à huit courtes années d'existence ; il était né ici, quatre-vingt-douze ans auparavant, et son éternité atteignait presque le siècle.

Elle fronça les sourcils.

– Pour un aviateur, tu n'observes pas très bien.

– Où as-tu appris que j'étais aviateur ?

– Tu ne l'es plus ?

– J'ai pris ma retraite.

Battant des paupières, elle sembla incertaine d'assimiler le mot « retraite ». Werner jugea odieux d'expliquer cette réalité à une enfant et conclut avec fermeté :

– Rentre chez toi.

– S'il te plaît, dessine-moi un avion.

– Pas le temps, du travail m'attend.

– Menteur ! Tu es à la retraite.

Il l'avisa avec des sentiments mêlés : son sans-gêne l'agaçait tandis que lui plaisait sa répartie, cette insolence paisible, plus rusée qu'agressive. Il poussa un soupir :

– Je ne sais pas dessiner.

Elle haussa les épaules.

– Tout le monde sait dessiner.

– Non.

– Si !

– Disons que je dessine mal.

– Moi, je dessine très bien.

Fière, n'éprouvant aucun doute sur ce point capital, elle exigeait qu'il admît sa supériorité. Il opina. Elle ajouta :

– Seulement, je ne dessine pas les avions.

– Pourquoi veux-tu dessiner des avions ?

– Parce que tu es aviateur.

Il pensa qu'elle n'avait pas compris sa question et tenta une autre approche :

– Aimes-tu les avions ?

– Et toi ?

Il s'impatienta. Elle posa sa minuscule main sur la sienne.

– Tu es triste quand tu regardes le ciel. Depuis longtemps, de ma fenêtre, je te vois suivre les avions, au loin, comme si tu souffrais de ne pas t'y trouver. Une fois, je t'ai même découvert en train de pleurer.

Il tressaillit. Alors que, pour lui, cette gamine sortait de l'inconnu, elle l'observait, elle l'analysait, elle avait surpris les abandons qu'il dissimulait à l'univers entier. Désarçonné, il désira, un instant, lui avouer que ce qui s'enfuyait dans les appareils sillonnant l'azur, c'était sa jeunesse, ces années vertes, alertes, qui ne reviendraient jamais.

– S'il te plaît, dessine-moi un avion.

Il examina sa jolie main menue, rose, potelée, dépourvue d'os, appuyée sur la sienne, rêche, tannée, maculée, squelettique : quelle espérance en ces doigts ronds ! Quelle vitalité ! Daphné vibrait à l'unisson du clair printemps qui redressait les herbes, parait les arbres, épanouissait les fleurs des parterres, nettoyait les nues de leurs nuages.

S'emparant du carnet, il entreprit de la satisfaire. D'emblée, il projeta d'ébaucher un Messerschmitt Bf 110 ou un Focke-Wulf Fw 190, mais, se rappelant que soixante années s'étaient écoulées depuis la guerre, il se rabattit sur un Airbus A 320, le moyen-courrier qui labourait le plus souvent, aujourd'hui, le ciel de Bavière.

Hélas, la mine de plomb lui désobéissait, ses doigts flageolaient, son poignet s'engourdissait, et il ne parvint qu'à griffonner une esquisse trouble, fade, sur le papier.

Daphné la détailla, sceptique :

– Il est malade, ton avion. On n'a pas envie d'aller dedans.

Malgré la justesse de la remarque, il se vexa :

– Tiens, je t'en croque un autre !

Il tourna la page et, sur la suivante, écrasa le crayon au centre. Il présenta à Daphné une tache sur un fond vide.

– Voilà ton avion !

– C’est un pâté, pas un avion.

– C’est un avion très haut, vu d’en bas.

Elle se tripota le menton.

– Si je montre ça à maman, elle va crier que je ne me suis pas fatiguée, que je me moque d’elle.

« Et elle ne se trompera pas », conclut Werner. Il s’attaqua alors à une feuille vierge. D’un geste, il traça une longue ligne sans trembler.

Elle sourit et battit des mains.

– Oh ça, j’adore !

– Tu as reconnu ? s’étonna-t-il.

– Évidemment ! Un avion qui traverse le ciel. Tu vois que tu peux, quand tu t’appliques…

Acceptant la réprimande, il sourit à son tour.

Elle happa le carnet et, sur une nouvelle page, déposa un trait.

– Voilà : je sais dessiner un avion. Merci.

Soulagée, ses affaires sous le bras gauche, elle s’élança en chantonnant vers le mur mitoyen, accrocha sa main droite à une branche du cerisier, s’y hissa, en agrippa une deuxième… Werner, effrayé, se précipita vers elle en dépit de son corps ankylosé et s’offrit à la soutenir.

– Laisse-moi t’épauler !

Elle gloussa lorsqu’il saisit ses cuisses satinées et la propulsa vers les tuiles qui surmontaient le mur.

– Tu n’as pas le droit de m’aider à escalader : c’est interdit !

– Qui a dit que c’était interdit ?

– Toi.

Il nia de la tête et ajouta :

– Werner, le vieil aviateur qui radote parfois n'importe quoi ?

Un éclair de folle gaîté passa dans les prunelles de Daphné. Il ébaucha une révérence.

– Reviens quand tu veux, princesse.

– D'accord. Comme ça, tu progresseras…

– Moi, progresser ?

– En dessin. Ne te crois pas champion, tout de même ! Je t'encourage pour que tu t'améliores, pas pour que tu arrêtes.

Elle pouffa et, glissant de l'autre côté, s'esquiva.

Sous les ramures, Werner von Breslau écouta longtemps son rire perlé, liquide, qui s'éloignait à mesure qu'elle gagnait sa villa, jusqu'à ce qu'il se fondît dans le gazouillis des mésanges, les roucoulades des tourterelles et les vocalises des merles, telles les gouttelettes d'écume que la mer absorbe.

*

– Là, papa, il va falloir que tu m'expliques, car je ne comprends pas !

Jochen von Breslau secouait la lettre. Écarlate de colère, les yeux effarés, le menton frémissant, les narines pincées, il condamnait son père.

– Pourquoi ? Pourquoi !

Werner von Breslau baissa la tête. On devrait toujours se fier au pire : il ne déçoit jamais. Depuis des décennies, il craignait que cette histoire ne remontât à la surface. Voilà, c'était fait, la grenade de l'apocalypse avait explosé.

Jochen jeta le papier sur la table, le relut et le gifla d'un revers de la main.

– Tu fais partie d'un groupe de néonazis !

– Non…

– Tu appartiens à une cellule néonazie ! C'est écrit noir sur blanc.

– Oui, mais…

– Et depuis 1952. Juste après ma naissance !

Jochen parcourait le salon, donnait des coups aux murs, aux meubles, aux portes. La rage le possédait. En cent ans, jamais la demeure familiale n'avait subi cette violence, des bibelots tombaient, le plancher vibrait, les cloisons encaissaient les chocs. Werner ne bronchait pas, conscient que son fils tapait ce qui l'entourait pour s'empêcher de frapper son père.

– N'as-tu rien appris, papa ? N'as-tu pas saisi ce qui se passait dans le pays après 1945 ? La honte. La honte absolue. La honte d'avoir commis l'atroce. N'as-tu donc pas de conscience ?

Il fonça vers son père et le vieillard, par réflexe, ferma les yeux en se protégeant le visage avec ses avant-bras. Devant ce geste couard, une écume de mépris blanchit les lèvres de Jochen. Il grimaça.

– Tu m'as menti toute ta vie.

– Jochen…

– Tu m'as toujours dit que tu ne cautionnais pas Hitler, son délire raciste, son idéologie fasciste. Tu m'as toujours dit que tu exécrais l'antisémitisme, que tu rejetais la haine du communisme, que tu ne t'estimais pas membre d'une race supérieure. Tu m'as toujours dit que tu avais lutté par obligation, non par conviction, parce que tu appartenais à une nation en guerre.

– Vrai.

– Tu m'avais certifié que tu avais combattu en tant qu'Allemand, pas en tant que nazi !

– Exact.

– Et je découvre que tu te rattaches à un groupe néonazi ! Aujourd'hui ! Soixante ans après, tu fréquentes encore des salauds comme ça ?

– Jochen, tu ne comprends pas…

– Non, je ne comprends pas ! Et je n'accepte pas ! Le sol s'effondre sous mes pieds. J'ai grandi en me figurant que mon père incarnait l'honnêteté ; certes, il avait ferraillé pendant cinq ans, mais il servait son pays, pas Hitler. Je l'ai cru vertueux, mon père, droit, privé de complaisance envers l'ignoble. En fait, je t'ai vu comme une victime ! Victime du devoir que tu avais intériorisé. Victime du patriotisme. Victime d'un dictateur sanglant qui contraignait son peuple. Or j'apprends que la victime masque un bourreau !

Au lieu de se défendre, Werner hocha la tête, conscient que son fils raisonnait juste. Seulement…

– Tu m'as berné, papa. De la façon la plus abjecte.

Sa face tremblait de dégoût. Il pointa son père du doigt.

– Si tu avais été nazi, je t'aurais pardonné. Tu aurais commis une erreur, pas une faute. Après tout, pourquoi pas ? Chaque homme se fourvoie. Je répète aux jeunes qui jugent le passé qu'il s'avère simpliste de condamner rétrospectivement. Moi-même, j'ignore comment j'aurais agi, à ton âge, dans ton temps. Oui, papa, je t'aurais pardonné si tu avais adhéré au nazisme. Mais que tu le restes aujourd'hui ! Aujourd'hui !

– Jochen, calme-toi.

– Non ! Aujourd'hui, c'est impardonnable.

– Jochen…

Tremblotant, en sueur, Werner se reprochait de réfléchir si lentement et de laisser son fils atteindre le paroxysme de l'exaspération. Par quel bout prendre l'affaire ? De quelle manière la lui raconter ? Jochen saisirait-il ?

– En plus, si cela s'ébruite, tu éclabousses ta réputation, mais aussi celle de ta famille ! Tu nous couvres d'opprobre ! Moi, ma femme, mes fils, tes petits-enfants, tes arrière-petites-filles ! Les von Breslau, voilà le nom de l'ultime lignée nazie !

Le vieil homme se redressa. Assez ! Il fallait intervenir, se…

Un voile noircit sa vue. En moins d'une seconde, Werner von Breslau, perdant conscience, se cogna la tête contre le sol.

*

Dans un jardin, il y a des mois ingrats et des mois généreux. Avril inaugure cette période munificente où le travail exécuté toute l'année porte ses fruits, ses fleurs, ses feuilles. La terre récompense celui qui lui témoigna fidélité durant l'automne et l'hiver.

Werner von Breslau se réjouissait devant sa société végétale. Simples, modestes, nombreuses, les primevères s'épanouissaient çà et là. Bourgeoises, orgueilleuses, les tulipes jaunes, corail, fuchsia, mauves, prune, zinzolin, arboraient leurs capuchons de fête, escortées par les anémones violettes au cœur doré. Aristocratique, une fleur isolée apparaissait sur l'arbuste camélia, plus précieuse encore de régner unique, diamant auquel les feuilles cirées apportaient un écrin. En retard mais impétueuses, les branches des rhododendrons brandissaient des bourgeons prometteurs tandis que la glycine renaissait du mur, tel un fantôme sortant de sa tombe, ambitionnant de desceller davantage de pierres que l'année précédente.

Il repoussa un insecte qui taquinait le bonnet des jonquilles.

– Tu ne fais pas de mal à une mouche, toi, s'écria Daphné, couchée dans l'herbe auprès de lui.

Se rappelant son dernier affrontement avec son fils, Werner s'abstint d'épiloguer. Plié, les épaules basses, il s'était assis sur un tabouret pour enlever les pissenlits de ses massifs, car, depuis sa défaillance, il redoutait les changements de position. À quatre-vingt-douze ans, il était temps de se ménager !

Daphné releva la tête vers lui.

– Tu es descendu du ciel en avion ou tu habitais déjà la terre ?

– Les avions sont fabriqués sur terre, Daphné.

– Tous ?

– Tous les avions sont conçus sur cette terre pour la quitter.

– Moi, j'aurais cru l'inverse. Qu'ils venaient de là-haut et qu'ils y retournaient.

– Ils ne montent pas jusqu'aux étoiles, Daphné. Ne confonds pas les avions avec les fusées. Ainsi, moi, avec mon avion, je volais à dix mille mètres.

Daphné essaya de visualiser « dix mille mètres » et n'y parvint pas. Il l'aida :

– Dix mille mètres, cela signifie que les champs deviennent des mouchoirs, que les rivières se réduisent à un fil, les fleuves à un ruban bleu, que les villages rétrécissent et qu'on ne distingue plus les hommes.

Elle s'indigna :

– Les hommes disparaissent ?

– Oui.

– Même si je me place au milieu de la route et que je t'envoie de grands signes ?

Il approuva.

Les lèvres de Daphné s'affaissèrent sous le poids de la consternation.

– Oh, je ne sais pas si ça me plairait… Enfin, l'avantage, c'est que, là-haut, tu observes les étoiles ou la lune.

– Pas du tout. Les astres séjournent trop loin.

– Ça me déçoit ! Quand tu voyageais, tu voyais moins la terre et pas davantage les étoiles ou la lune ?

– Exact.

– Alors, pourquoi le faisais-tu ?

– Pour voler !

Lumineuse, elle sourit avec enthousiasme.

– Là, je te comprends. Dans mes rêves, souvent, je vole !

Sautant sur ses pieds, elle étendit les bras et, transformée en aéroplane, explora le jardin en produisant avec sa bouche un léger bruit de moteur.

À sa vue, il songeait à son enfance studieuse, à ces heures passées en classe à apprendre, répéter, réciter sous la férule de professeurs sévères, à ces journées mornes, grises, lugubres, harassantes, interminables, où soudain, derrière la fenêtre, la vision d'un oiseau virevoltant au milieu de l'éther lui donnait l'énergie de poursuivre. Toujours, il lui avait semblé qu'il gagnerait sa liberté, la mériterait, et qu'un matin joyeux, par son travail, il l'obtiendrait : il volerait comme l'oiseau... Hélas, après ses études militaires, s'il avait piloté des avions, s'il en avait retiré du plaisir, il n'avait jamais goûté à l'indépendance ! Libre ? Il fallait superposer trois épaisseurs de vêtements, s'encombrer d'un casque, lequel comprimait le crâne à mesure qu'on montait, l'altitude gonflant la tête, se harnacher d'un lourd parachute dans le dos, mettre des gants rigides, s'attacher à l'engin, s'y lier par un tube afin de respirer de l'oxygène. Libre ? Le champ de vision se réduisait au tableau de bord. Libre ? Il ne grimpait dans un avion que pour accomplir une mission. Libre ? Il suivait le chemin qu'on lui avait tracé au sol. Libre ? L'avion n'obéissait pas au pilote, le pilote obéissait à l'avion, requis par mille tâches, esclave des cadrans, manettes, boutons, leviers, pédales, tuyaux, câbles. Libre ? À peine pilotait-il que la guerre commença : la peur au ventre, il avait patrouillé pour tuer en prenant garde à ne pas l'être. Libre ? Quand ?

Daphné se planta devant lui.

– Sais-tu lire ?

Il ne put s'empêcher de sourire.

– Évidemment, je sais lire.

– Évidemment ?

– On sait lire à mon âge.

– Quel âge as-tu ?

Il souhaita se vanter :

– Cent ans !

Elle bondit, triomphante.

– Gagné ! J'ai dit « cent » à maman qui te croyait plus jeune.

Elle se calma.

– Remarque, normal qu'elle se trompe : elle ne t'a pas vu d'aussi près que moi.

Elle désigna le filet de ridules qui recouvrait l'austère visage de Werner. Il regretta sa fanfaronnade et revint au sujet :

– Veux-tu que je te lise quelque chose ?

Daphné entreprit une gymnastique abracadabrante qui la fit pirouetter, plier, soupirer, s'étirer, s'abaisser, se relever ; rouge d'avoir bloqué son souffle, elle atteignit son but et tendit à Werner un livre qu'elle avait transporté sur son dos, coincé entre ses vêtements lors de l'escalade du mur.

– Voilà !

Werner le saisit.

– Tu connais ? demanda Daphné.

Le Petit Prince, d'Antoine de Saint-Exupéry.

Werner secoua négativement la tête et susurra :

– Viens, rangeons-nous à l'ombre.

Il traîna son tabouret sous le tilleul, ajusta ses lunettes et ouvrit le volume.

Daphné se coucha à son côté, fervente, tout ouïe.

Il entama sa lecture :

– « J'ai vécu seul, sans personne avec qui parler véritablement, jusqu'à une panne dans le désert du Sahara… »

*

Daphné venait rencontrer Werner chaque jour désormais. Par beau temps, ils se consacraient au jardinage ; par mauvais, Werner lui lisait *Le Petit Prince.*

À sa surprise, ce livre le passionnait. D'abord, le narrateur avait exercé la profession d'aviateur, comme lui, à une époque équivalente. Ensuite, ce conte l'émouvait, l'incitait à réfléchir. Du coup, lorsqu'il en avait prononcé les derniers mots et que Daphné, en larmes, lui avait proposé de recommencer, il avait acquiescé.

Ils avaient parcouru trois fois le récit et Werner en envisageait une quatrième…

Concret, pragmatique, Werner n'avait jamais consacré de temps à la lecture de romans. Pourquoi s'intéresser au faux ? pestait-il en avisant des gens plongés dans ces tissus d'inventions. Habitué à se remplir l'esprit en s'occupant les mains, il avait beaucoup bricolé, beaucoup jardiné durant les loisirs que lui octroyait son métier au ministère des Transports, puis, la retraite venue, il avait licencié son employé de maison. Ainsi, ses journées demeuraient pleines, variées, fatigantes. Lorsqu'il se sentait exténué, incapable de s'atteler à une tâche supplémentaire, il gagnait son salon, s'écroulait sur le canapé, et écoutait de la musique. Bach, Scarlatti, Mozart, Schubert, Mendelssohn, Chopin, Schumann, Brahms, Ravel, Chostakovitch, voilà ses meilleurs amis, ses compagnons de sieste, ses camarades de nuit, ceux qui l'avaient protégé de l'ennui.

Daphné repoussait tout autre livre que *Le Petit Prince*. « Pourquoi pas ? songea Werner. N'ai-je pas savouré la *Symphonie en sol mineur* de Mozart une bonne centaine de fois ? Un ouvrage est riche quand il prodigue du plaisir à chaque écoute. Rien ne tarit les chefs-d'œuvre. »

Sans nul doute, *Le Petit Prince* se rangeait sur ce rayon-là. Comme Daphné, Werner s'esclaffait quand le petit prince tombait sur des individus absurdes, le banquier qui entasse de l'or et ne s'en sert pas, le géographe qui inventorie l'univers mais ne voyage pas, le vaniteux qui salue perpétuellement, le roi qui règne sans sujets, l'ivrogne qui boit pour oublier qu'il boit. Comme elle, il craignait le serpent dont le venin distille la mort, il s'attendrissait lorsque le renard et l'enfant s'apprivoisaient. Son désaccord avec Daphné concernait la rose. Daphné réprouvait cette coquette futile qui échoue à recevoir l'amour du petit prince ou à lui en procurer. « Elle, je la déteste ! » s'exclamait-elle chaque fois. Silencieux, un sourire indulgent accroché au visage, Werner estimait, lui, que l'auteur avait bien rendu l'éternelle incompréhension entre les hommes et les femmes que l'on appelle amour. Mais cela, Daphné le percevrait plus tard, en son temps. Comme lui…

On sonna.

Daphné glissa du canapé où, vautrée, elle écoutait

l'histoire et galopa jusqu'à l'entrée. Werner l'entendit ouvrir la porte, converser avec une voix masculine, puis elle réapparut.

– Un vieux monsieur pour toi.

– T'a-t-il donné un nom ?

– Non, il voulait savoir le mien.

À cet instant, Jochen franchit le seuil du salon.

– Tu m'as demandé de passer, grogna-t-il, alors me voici.

Werner frissonna.

– Assieds-toi, je reviens.

Il se leva, saisit Daphné par la main, s'excusa d'interrompre la lecture, descendit dans le jardin, aida la fillette à sauter le mur mitoyen au niveau du cerisier en fleurs et lui promit de siffler trois fois à l'issue de son rendez-vous.

– Il n'a pas l'air commode, ce monsieur. Qui est-ce ?

– Mon fils.

– Pas drôle de me répondre n'importe quoi, marmonna Daphné en disparaissant derrière le mur.

Werner rejoignit Jochen, lequel l'attendait, hérissé, empesé, sur la terrasse qui dominait le jardin.

– Tu aimes les enfants, maintenant !

– Pardon ? murmura Werner.

– Je n'avais pas remarqué jadis que tu aimais les enfants. Tu ne m'as jamais consacré du temps, à tes petits-enfants non plus.

Werner se rendit compte que Jochen disait vrai.

Daphné l'avait happé. Quoiqu'il ignorât s'il « aimait les enfants », il aimait celle-ci, avec certitude. Devinant la souffrance de Jochen s'il lui livrait une telle pensée, il se claustra dans le silence jusqu'au salon.

Jochen persifla en toisant le vieillard :

– Décidément, tu me déconcertes. En bien autant qu'en mal.

– Ne…

– Je m'en serais dispensé, crois-moi !

Werner sentit que son fils se laissait emporter par une nouvelle vague de douleur et s'efforça de s'expliquer :

– Jochen, je te dois des éclaircissements. Depuis mon malaise, nous ne nous sommes pas revus car tu as délégué ta femme pour me soigner et prendre des nouvelles. Je t'en remercie. Cela m'a aussi révélé que tu me blâmes au point de me fuir.

– Je t'évite. Je me figurais avoir tel père, j'en récupère un autre.

– Jochen, je n'appartiens pas à ce parti néonazi.

– Le courrier que j'ai reçu atteste ton adhésion. Depuis 1952, tu lui verses une cotisation. Voilà pourquoi j'ai découvert ton sale secret : comme tu n'as pas réglé la dernière, le secrétaire général m'a joint pour me demander si tu étais décédé. Imagine mon choc !

– Je les condamne. Je ne partage ni leur nostalgie ni leurs attentes. Je hais le nazisme, et davantage le néonazisme.

– Tu nies ce qu'ils prétendent ? Ton adhésion ? Tes cotisations ?

– Non.

– Alors quoi ?

– À cause de l'avion.

Jochen demeura stupéfait.

– L'avion ?

– Mon avion.

Ils se turent. Jochen changeait de couleur. S'il n'avait pas encore compris, il venait d'entrevoir un espoir et s'engouffrait dans cette perspective. La confiance renaissait en lui ; il allait peut-être se réapproprier le père qu'il vénérait. Ébranlé, Werner perçut à quel point il comptait pour son fils.

– Pendant la guerre, après avoir utilisé un Messerschmitt Bf 110, je pilotais un Focke-Wulf Fw 190, un chasseur bombardier monoplace et monomoteur, un bijou de technologie. Officiellement, il a sombré dans la mer Baltique tandis que moi j'ai sauté in extremis en parachute sur la plage. En vérité, l'avion n'a pas disparu, je...

– Oui, papa ?

– Je l'ai caché.

Comment justifierait-il son acte ? Comment décrire les sentiments qu'il adressait à un mélange de fer, d'aluminium et de câbles ? Son Focke-Wulf Fw 190 avait constitué son destrier durant trois ans. Si l'on conçoit l'attachement d'un cavalier à son cheval, on saisit mal celui d'un pilote à son véhicule, lequel n'a ni sensibilité ni âme, pas même un embryon d'intelligence. Cette tôle pourtant s'était montrée vaillante pour lui, avait été blessée pour lui, l'avait protégé des balles. Nerveuse, rageuse, fidèle, elle portait ses cicatrices. Elle avait été son compagnon de solitude, son utilité, la forme visible de sa bravoure, sa chance, son talisman.

– À l'issue de la guerre, lorsque l'amiral Dönitz, successeur de Hitler, a signé à Reims la capitulation de l'Allemagne, je combattais sur le front est, contre les Soviétiques. En ce début de mai 1945, j'ai perçu deux choses : mon pays avait perdu et moi, j'avais survécu. Ce matin-là, le 9 mai, j'ai contemplé mon avion : les vainqueurs écraseraient tout, détruiraient les marques de leur calvaire pendant le conflit, surtout les Russes. Alors, j'ai conçu mon plan et je l'ai réalisé en quelques heures. J'ai triché.

– Toi ?

– J'ai camouflé mon avion dans une forêt, près de Rostock, à côté d'un champ qui m'avait permis d'atterrir. Je l'ai garé dans une étable, j'ai payé le fermier et je me suis rendu sur la falaise, un endroit sauvage, loin des témoins. Là, j'ai sorti mon parachute, je l'ai étalé sur l'herbe comme si je m'en étais servi, j'ai brûlé et déchiré mes vêtements, je me suis tordu la cheville et, allongé, j'ai dormi la nuit sous les étoiles. Le lendemain matin, un paysan m'a remarqué et j'ai raconté mon prétendu accident : l'avion atteint par les Russes, crashé dans les vagues, moi sautant sur le rivage. En ce temps-là, on ne recherchait pas les épaves au fond de l'eau, on avait d'autres chats à fouetter.

– Le chasseur bombardier ne t'appartenait pas.

– C'était mon avion… Pour l'Allemagne, pour les Alliés, un avion de plus ou de moins, ça ne comptait pas ! Pour moi, si.

Jochen opina, touché par l'ingénuité de son père.

– Quel rapport avec les néonazis, papa ?

Werner soupira.

– Les années ont passé. Chaque mois, j'envoyais de l'argent à mon complice fermier, je lui payais mon garage en quelque sorte… Malheureusement, il m'a annoncé un jour qu'il vendait son domaine et que je devais dénicher une nouvelle cachette. Il me restait peu de temps pour agir. Les néonazis sont donc arrivés dans l'histoire.

Il se servit de l'eau gazeuse car ses souvenirs avaient séché sa gorge.

– J'avais appris que des illuminés revanchards vivaient dans le culte du IIIe Reich. Ils ambitionnaient de sauver de l'oubli la doctrine hitlérienne et les objets de sa grandeur. Certains collectionnaient les armes. Je me suis rapproché de l'un d'eux, Martin Müller, ancien SS de Buchenwald, et je lui ai parlé de mon avion.

Il rebut.

– Il a aussitôt accepté et m'a promis d'en organiser le transport, de nuit, d'une façon discrète. Je recevais l'assurance que mon avion survivrait, soigné, bichonné, idolâtré, revu régulièrement par un mécanicien qui appartenait au groupuscule. En fait, je ne leur ai pas prêté allégeance : selon eux, à l'évidence je pensais comme eux. Alors, pour mon avion et par lâcheté, je leur ai laissé présumer ce qu'ils voulaient. Afin de participer aux frais, je me suis inscrit au parti et j'ai payé ma cotisation. Dans mon esprit, je réglais juste ma place de parking.

Werner regarda Jochen. En dévoilant son secret, il se jugeait plus minable que jamais. Comme son fils avait raison de le rejeter ! Se compromettre, aider ces fous, les justifier et les favoriser, tout cela pour un tas de ferraille !

Jochen se jeta dans les bras de son père.

– Merci ! Je te retrouve, papa : tu es bien celui que je croyais.

Werner tremblait, honteux.

– C'est idiot ce que j'ai fait.

– C'est idiot, mais ce n'est pas nazi.

*

Tout l'après-midi, Daphné et Werner avaient parlé du renard. Pas d'un renard réel à dents pointues, puant, nuisible, qui aurait ravagé le jardin en dévorant les oiseaux, mais du renard qui habitait le livre merveilleux de Saint-Exupéry.

Daphné estimait que le renard avait apprivoisé l'enfant à tort.

– Il va pleurer quand le petit prince partira. Il se sentira seul. S'il n'avait pas tenu à devenir l'ami du petit prince, le renard ne se désolerait pas.

Werner rétorqua :

– Être malheureux, c'est une manière d'aimer.

– Tu plaisantes ?

– J'ai perdu Éva, ma femme, il y a trente ans, et j'éprouve encore du chagrin. Le chagrin de savoir qu'elle ne profite plus de la vie. Le chagrin de constater à quel point elle me manque.

– Tu n'es pas guéri ?

– Surtout pas.

– Quoi ?

– Ma blessure me plaît.

– Quoi ?

– Je le dorlote, mon chagrin, j'y tiens. S'il s'estompait, je serais malheureux.

– Mais tu es déjà malheureux !

– Pas de la même manière. Il existe un malheur chaud et un malheur froid. Le chaud, c'est quand tu aimes. Le froid, quand tu n'aimes pas. Dans le chaud, il y a quelqu'un. Dans le froid, personne. Souffrir de l'absence d'Éva me la rend présente. N'en plus souffrir la ferait périr une deuxième fois, et totalement disparaître.

– N'empêche... Ce serait mieux si elle était toujours là.

– Bien sûr. Cependant, personne n'est « toujours là ».

– Si ! Toi et moi.

Il caressa la joue de l'enfant, plus veloutée qu'une pêche.

– J'ai quatre-vingt-treize ans, Daphné : je ne serai pas « toujours là ».

– Ah bon ?

– Certain ! Tu n'aurais pas dû m'apprivoiser…

Daphné devint sérieuse et fixa le sol.

– Quand tu seras parti, je regarderai le jardin et je penserai à toi ; je regarderai le ciel et je penserai à toi. Tu ne seras plus là, visible, mais tu seras partout, invisible.

Werner saisit Daphné contre lui et ils demeurèrent ainsi, sous le tilleul sucré, assis dans l'herbe, abandonnés au pur bonheur d'exister. Comme il se délecterait d'accompagner longtemps ce petit être ! La perversité de la vieillesse, c'était uniquement cela, cet empêchement, cette interruption, cette brisure qui interviendrait bientôt.

Il chassa la mélancolie et lui annonça :

– Je vais assister à une conférence ce soir sur le compagnon du petit prince.

– L'aviateur ?

– Antoine de Saint Exupéry. Je ne sais rien de lui. À la Maison de la Littérature, au centre-ville, un écrivain berlinois nous retracera son existence. J'ai repéré l'annonce dans le journal.

– Tu m'emmènes ?

– Ça commence à vingt et une heures.

– Quand je dors ? Quel dommage…

– Je me concentrerai ce soir pour tout te répéter demain.

Daphné l'approuva d'un air impressionné.

Werner aussi était impressionné par sa démarche : jamais il n'avait mis les pieds dans un lieu culturel. La Maison de la Littérature appartenait à un autre monde que le sien. S'il n'avait pas découvert ce livre, *Le Petit Prince*, il n'en aurait jamais poussé la porte.

Ce soir-là, assis au premier rang dans une salle bondée, il écouta le conférencier relater l'existence du glorieux écrivain. Charmé, il s'étonna de quelques similitudes avec lui : Antoine de Saint-Exupéry descendait d'une famille noble et avait perdu son père enfant. Il s'enorgueillit ensuite d'avoir réussi ce qu'Antoine de Saint-Exupéry avait raté : l'école militaire. Puis il partagea en frère sa passion de l'aviation et s'enthousiasma pour les débuts professionnels de celui qui travailla dans l'Aéropostale. Par souci d'illustrer son propos, le conférencier citait des extraits de *Vol de nuit* et *Courrier sud*, ses premiers romans, et, chaque fois, en résonance intime avec ce que décrivait l'écrivain aventurier, Werner se promit de les acheter.

Enfin, l'on arriva à la guerre. Là encore, Werner mesura des différences entre Saint-Exupéry et lui. Le Français n'avait volé que quelques heures dans une escadrille française en 1940, car l'armistice, sanctionnant la défaite, avait été signé. Parti à New York, il avait tenté d'obtenir durant plusieurs années l'intervention américaine dans le conflit et n'avait revolé qu'au printemps 1944, avec les résistants, en Sardaigne puis en Corse.

Werner sourit à l'évocation de ces moments. Il connaissait la scène de ces hostilités puisqu'il y rôdait à cette période. Lorsque l'orateur stipula que Saint-Exupéry conduisait un Lockheed P-38 Lightning, il se remémora avoir croisé ces formidables chasseurs américains que les Allemands appelaient « diables à queue fourchue ».

Le conférencier finit en évoquant le « mystère de sa mort ». Saint-Exupéry avait disparu en mer, avec son avion, un Lockheed P-38 Lightning, lors d'une mission de reconnaissance photographique entre Bastia et Chambéry, le 31 juillet 1944. Longtemps, on n'avait su ni où ni comment, mais, en 2000, des plongeurs avaient récupéré sa gourmette et des morceaux de sa carlingue au large de Marseille.

Werner blêmit.

– Au large de Marseille ? cria-t-il.

Le conférencier se pencha sur ses fiches et répondit :

– Vers l'île de Riou, en face des calanques.

Son corps frissonnait, mais Werner s'évertua encore à interroger :

– Par quel avion aurait-il été touché ?

– Un témoignage d'un habitant voisin recueilli en 1950 parle d'un Focke-Wulf Fw 190.

Werner s'en souvenait très bien : non loin de Marseille, il avait abattu un P-38 Lightning le 31 juillet 1944, le jour anniversaire d'Éva. Avant de perdre conscience, il n'eut que le temps de gémir :

– Non…

*

Il avait passé une semaine au lit. Son fils Jochen lui apportait les plats cuisinés par son épouse et Daphné pointait chaque après-midi le bout de son nez pour lui tenir compagnie. À cause de ses malaises à répétition, il n'avait pas pu refuser l'employée de maison que lui avait recommandée sa famille ; voilà qu'il supportait maintenant chez lui la présence d'une Maria-Magdalena, Souabe, briseuse d'objets, bruyante, dont le sillage distillait un parfum de lait caillé, laquelle lui servait aussi d'aide-soignante.

Il lui sembla qu'il devenait vieux.

En parlerait-il ? Et à qui ?

Rédigerait-il une confession pour la presse ?

Avouerait-il à son fils qu'il avait pulvérisé l'un des écrivains majeurs du siècle ?

Confierait-il à Daphné qu'il avait liquidé son auteur préféré ? Leur auteur préféré ?

Sans cesse, il revenait à ce jour-là, à sa mission, à

son survol de la côte, lorsqu'il avait aperçu, en dessous, un chasseur américain. Il avait aussitôt tiré, avec une précision parfaite, puis le P-38 Lightning avait piqué droit dans l'eau. Tout cela n'avait duré que quelques secondes. Du travail propre. Un coup d'aile plus tard, Werner n'y avait plus songé…

Mille avions patrouillaient à l'époque sur le territoire français, autant dire une goutte dans l'océan. Pourquoi avait-il croisé celui-ci ?

À sa demande, Jochen lui avait acheté le livre du conférencier sur Saint-Exupéry. Dans sa péroraison, le Berlinois spéculait à satiété sur la mort de l'aviateur. Les détails qu'il avait produits lors de son allocution n'étanchaient pas sa curiosité car il s'entêtait à multiplier les théories… Il évoquait une panne technique de l'appareil – si courante à l'époque, Antoine de Saint-Exupéry en ayant enduré plusieurs. Il suggérait un malaise du pilote. Pire, il allait jusqu'à étayer l'hypothèse d'un suicide : Saint-Exupéry, en mauvaise santé, sans force, incapable de fermer seul la verrière de son appareil, angoissé jusqu'au vertige par l'avenir proche de l'Europe, pessimiste, désespéré, aurait choisi, comme Stefan Zweig, de quitter ce monde. N'écrivit-il pas à un ami la veille de sa mort ? « Si je suis descendu, je ne regretterai rien, absolument rien. La termitière future m'épouvante. Et je hais leur vertu de robots. Moi, j'étais fait pour être jardinier. »

Ces phrases-là, Werner les relisait et les soupesait.

Loin d'une annonce suicidaire, il y repérait des circonstances atténuantes pour lui : Saint-Exupéry, prêt à mourir, avait péri sans désappointement. Lui, Werner, n'avait donc ni interrompu un grand projet ni frappé un élan de vie.

Cependant, plus Werner von Breslau méditait ces phrases, plus il percevait sa proximité avec l'ennemi qu'il avait anéanti. Accepter la mort, il avait pratiqué cette sagesse durant la guerre. Quant à la peur du lendemain, il l'avait tellement ressentie que, par crainte, il avait dissimulé son avion lors de la défaite. Et cette ultime réflexion, « j'étais fait pour être jardinier », ne résumait-elle pas le privilège de Werner qui s'était consacré aux plantes depuis sa retraite ?

Solution : rédiger une lettre à l'intention du conférencier, laquelle mettrait un terme à l'énigme !

Cet auteur, hélas, transpirait l'immaturité. Devant les faits, le Berlinois renâclait en révélant un appétit de mystère, non un appétit de vérité. Il lui importait de créer une « légende Saint-Exupéry », laquelle, comme toutes les légendes, se nourrissait davantage d'inconnu que de connu. Même si Werner postait des aveux au conférencier, celui-ci persisterait à les minoriser afin de cultiver le mythe.

– Viens.

Daphné attrapa la main de Werner et, comme si elle avait détenu la force d'un athlète, l'engagea à sortir du lit. Il resta amorphe. Elle insista :

– Viens, tu es en train d'oublier.
– D'oublier quoi ?
– D'oublier ce qui est joli.
Sur le visage de Werner se découpa une grimace intriguée. Daphné lui expliqua, déçue de formuler quelque chose de si flagrant :
– Tu es en train d'oublier la lumière, les fleurs, les chants d'oiseaux. Tu ne bouges plus. Tu t'enfermes dans le dur.
– Le dur ?
– La maison, les pierres, les murs. Tu m'inquiètes.
Il réunit ses forces et se redressa. Pour le ragaillardir, elle ajouta :
– Le jardin a besoin de toi.
Ils descendirent de la terrasse et le jardin éblouit Werner. Juin accueillait les roses par milliers, les anciennes aux pétales touffus, les nouvelles aux boutons vifs, les sauvages aux tiges élancées. Il était ému que la nature ait tant travaillé durant sa convalescence, comme si elle lui prouvait qu'elle poursuivait son œuvre.
– Tu vois, ici et là, il faut couper.
Werner empoigna le sécateur qu'elle lui tendait et entama l'entretien des arbustes.
– Je te regarde, lança Daphné en s'asseyant sur une souche. J'adore quand tu fais la toilette du jardin.
À cet instant-là, Werner défaillit. Un malaise, encore ? Le bruit s'amplifia et Werner perçut qu'il avait été dérangé par le son d'un avion flottant au-dessus d'eux,

un bimoteur qui volait bas et le renvoyait à la guerre, à Saint-Exupéry… Il sentit une intense détresse lui creuser la poitrine.

– S'il te plaît, dessine-moi un avion.

– Quoi ?

Daphné parut surprise par la phrase du vieil homme. Il s'obstina :

– Va chercher ton carnet, tes crayons et, s'il te plaît, dessine-moi un avion.

À son ton décidé, elle conclut que cela lui importait. Elle s'éclipsa et revint avec le matériel.

Pendant qu'il s'occupait des roses, elle mordit longuement son crayon en quête d'inspiration, puis se mit à griffonner une forme géométrique.

– Voilà !

Elle lui tendit le dessin d'une boîte.

– Qu'est-ce que c'est ?

– Un hangar.

– Où est l'avion ?

– À l'intérieur.

Comme il fronçait les sourcils, elle souligna :

– Indispensable, un hangar. Ça protège l'avion. Si tu calcules bien, un avion passe plus de temps dans son hangar que dans le ciel. Et le ciel, il se fâche, avec les tempêtes, les nuages, la foudre, les autres avions. Au fond, le plus important pour un avion, c'est de repérer un bon hangar où il se repose ; il pourra même y rester à sa retraite.

Troublé par la correspondance entre sa vie et ce qu'énonçait l'enfant, Werner von Breslau se prépara à lui lâcher la vérité : il avait un jour tué le père du *Petit Prince.* Mais il sentit combien il la peinerait et parvint à se retenir.

– Quelle drôle de tête…, s'exclama-t-elle. Qu'est-ce qui ne va pas ?

– Je ne suis pas fier de moi en ce moment.

– De toi ?

– J'ai fait quelque chose de mal, autrefois.

– Et alors ?

– Je n'arrive pas à me pardonner.

Elle haussa les épaules.

– Que tu es bête !

Il tressauta.

– Pardon ?

– Tu me dis que tu n'arrives pas à te pardonner parce que tu as fait quelque chose de mal autrefois. Donc je réponds : que tu es bête !

– Pourquoi ?

– Quelque chose, ce n'est pas quelqu'un.

*

Jochen von Breslau feuilletait le journal régional en face de son père sur la terrasse ombrée par la vigne.

Werner contemplait son fils et se demandait, perplexe, comment il avait produit ce vieillard. Que s'était-il passé ? Qui lui avait joué ce vilain tour ? Naguère, accompagné d'Éva qui rayonnait de bonheur, il tenait un bébé lisse et dodu entre ses bras, et voilà qu'il subissait la présence d'un notable pâteux, aux lunettes d'écaille, habillé sans goût ni grâce, la peau rougeâtre gonflée par le vin et les repas trop abondants, bref un homme aussi laid que banal, qu'il n'aurait jamais fréquenté s'il n'avait pas porté son nom.

De temps en temps, Maria-Magdalena, la Souabe, proposait à boire ou tendait des gâteaux secs. « Des gâteaux secs ? songeait Werner. Pourquoi des gâteaux secs ? Elle ne se nourrit que de ça ? Elle prononce "gâteaux secs" avec une bouche sèche, justement, et ça coupe l'envie de s'alimenter comme elle ! » Werner s'était résolu à sa présence comme à une fatalité, ainsi qu'il s'était résigné à souffrir des articulations ou à marcher moins vite qu'un hérisson.

Son cœur n'était plus qu'un faible grelot dans sa poitrine. Werner s'évanouissait sans arrêt. Les malaises rythmaient sa semaine. Il devinait que ses jours étaient comptés, peut-être sur les doigts d'une main.

– Tiens, toi qui t'intéresses à Saint-Exupéry, lis ça !

Jochen lui tendit son journal.

Werner consulta le titre en grosses lettres : « Il a vaincu l'auteur du *Petit Prince.* »

Il blêmit.

– Papa, ça ne va pas ?

Jochen se précipita sur son père livide qui clignait

des paupières en respirant mal. Il le fixa et lui parla très fort :

– Papa ! Papa ! Reste avec moi ! Papa !

Werner déglutit, se força à expirer posément.

– Ça va aller... ça va.

Il jeta un œil sur le journal : la photographie représentait un individu qui ne lui ressemblait pas.

– Quelle histoire, là ? maugréa-t-il à Jochen en désignant le quotidien.

– Mais rien ! Rien ! Je n'imaginais pas que ça te bouleverserait. Il s'agit d'un pilote pendant la guerre qui se souvient d'avoir descendu l'avion de Saint-Exupéry.

Retrouvant des forces, Werner saisit les pages. Mario Schulz, ancien combattant, révélait son secret : il avait mitraillé le célèbre écrivain aviateur.

Werner manqua de s'étouffer... Mario Schulz ! Le crétin le plus magistral qu'il avait côtoyé au feu ! Un pleutre, bon qu'à brailler dans les soirées et à se saouler ! Mario Schulz qui accumulait les alibis l'empêchant d'accomplir ses missions. Mario Schulz qu'on soupçonnait de ne pas affronter l'ennemi mais de le fuir. Mario Schulz qu'on avait fini par maintenir au sol. Mario Schulz qui n'avait pas détruit l'avion de Saint-Exupéry puisque, à cette époque-là, on l'avait expédié en permission dans sa famille – il s'en souvenait bien car Mario avait lui-même apporté à Éva le cadeau d'anniversaire choisi par Werner. Mario Schulz, cet affabulateur hâbleur, fidèle à sa médiocrité, encore plus fourbe à quatre-vingts ans qu'à vingt, déclamait de faux aveux pour retenir l'attention et s'inscrire dans l'Histoire.

– Du vent ! Rien que du vent !

– Que dis-tu, papa ?

– Les journaux racontent n'importe quoi.

Rassuré, Jochen approuva avec mansuétude :

– Je crains que tu aies raison.

La Souabe arriva et l'on aida Werner à s'allonger au salon pour une sieste.

Une fois reclus dans la pièce aux boiseries en noyer foncé, Werner pensa au pilote, Mario Schulz, qui recherchait la célébrité, tandis que lui, Werner, cherchait la vérité.

En fait, il ne la cherchait plus. Il la subissait, la vérité. Il ignorait comment l'apprivoiser. Elle le gênait.

Jusque-là, il n'avait jamais regretté sa conduite durant la guerre. Il ne tuait pas des hommes, il tuait des ennemis. L'adversaire n'arborait aucun détail. Celui auquel il s'attaquait bénéficiait d'une abstraction stimulante. Le Français. Le Russe. L'Anglais. L'Américain. Pas de traits, pas de chair, pas de biographie. Tout ce que Werner en savait, c'était que le combattant détenait, lui aussi, le droit de l'éliminer. Régnait une symétrie parfaite. Voire une égalité, celle de la mort. La guerre se résumait à des règles dans lesquelles n'entraient pas les cas individuels. Jamais il n'avait songé qu'il abattait un soldat précis avec une femme et des enfants précis car lui-même ne constituait pas un soldat précis pour ses opposants. À ses yeux, il n'avait jamais commis la moindre cruauté. Il tuait en général, pas en particulier...

Or, depuis quelques semaines, l'ennemi avait pris une figure, celle d'Antoine de Saint-Exupéry. Insupportable ! L'adversaire ne devrait jamais avoir un visage. Werner découvrait qu'il avait supprimé un homme singulier, un homme unique, un homme qu'il aimait, oui, qu'il aimait car il avait écrit ce conte sublime, qu'il aimait car il avait arpenté l'existence avec des soucis et des enthousiasmes semblables aux siens. Soixante ans après, il se trouvait un frère en Saint-Exupéry, un frère hors du commun, un frère admirable. Et ce frère, il l'avait occis. Quelle honte ! Lui, un individu sans génie, avait achevé un génie... Comment se le pardonner ?

La phrase de Daphné lui traversa la tête : « Quelque chose, ce n'est pas quelqu'un. »

Il se redressa. Daphné parlait d'or. On ne confondait pas un acte et une personne. On ne résumait pas Werner à ce seul instant, celui qui torpilla l'avion de Saint-Exupéry. Werner, c'était mille actes, des bons, des excellents, des médiocres, des insuffisants. Werner, c'était mille sentiments, le patriotisme, la fierté allemande, la rage froide à l'assaut, mais également l'amour pour les siens, ses parents, Éva, sa famille, ses amis, ses collègues ; l'amour de la nature, des arbres, des millions de fleurs qu'il avait entretenues de leur éclosion à leur extinction ; l'amour des animaux qu'il avait hébergés, nourris, soignés ; la joie d'écouter Mozart ; le plaisir de tenir Éva entre ses bras. Daphné avait raison : on ne pardonne pas quelque chose, on pardonne à quelqu'un. L'acte reste mauvais, mais la personne ne le devient pas. On ne peut la réduire à son geste nocif. Pardonner revient à considérer l'individu en entier, à lui redonner le respect et le crédit qu'il mérite.

Werner repoussa le plaid jeté sur ses jambes et posa les pieds au sol. Il avait honte de certains actes, bien sûr, mais pas de lui. S'il avait tué Antoine de Saint-Exupéry, il ne l'avait jamais voulu. D'ailleurs, à celui qui le lui proposerait, il opposerait un refus scandalisé.

Son cœur battait si fort qu'il craignit d'éprouver un nouveau malaise. Il entendait son sang cogner aux tempes. « Pas maintenant. S'il vous plaît. » Ses yeux fixèrent le jardin à travers la vitre où, sous les ramures ensoleillées, Daphné jouait à imiter un avion.

Il sourit. Sa circulation ralentit. Sa poitrine cessa de haleter de façon autonome. Il reprit le contrôle de ses poumons.

On ne le cantonnerait pas à cet acte, descendre le P-38 Lightening de Saint-Exupéry, il pouvait accomplir bien d'autres choses. Aujourd'hui encore, il savait opter pour le bien.

À qui avait-il obéi pendant cette décennie fatale ? À Hitler. À une clique de barbares qui avaient conquis l'Allemagne, légitimement d'abord par l'élection, illégitimement ensuite par la terreur. Après quoi, les Allemands, acculés par la guerre, condamnés à soutenir leur nation, fût-elle devenue démente, avaient été obligés d'aller jusqu'au bout de batailles injustifiables. Il avait beaucoup servi le mal, au fond. L'humanité se hisse peu souvent à la hauteur d'elle-même. Elle engage les meilleurs dans des impasses. Peut-être aurait-il dû s'opposer, désobéir, se…

C'est alors que l'idée l'illumina !

– Évidemment…

*

Daphné bavardait avec les grenouilles du bassin de bronze lorsque Werner s'avança en lui présentant un paquet.

– Un présent pour toi, Daphné.

Elle reçut l'objet et l'ausculta.

– Un livre !

– Exact.

– Lequel ?

– Les belles histoires de Saint-Exupéry.

Elle écarquilla les paupières, déjà alléchée.

– D'autres que *Le Petit Prince* ?

– Bien sûr.

Elle défit l'emballage et découvrit un volume épais, à la couverture en cuir caramel, lequel comportait au moins cinq cents pages.

– Oh oh, s'écria-t-elle avec gourmandise.

Elle l'ouvrit et sursauta. Supposant une erreur, elle

examina les feuilles, recto, verso, plus vite à chaque seconde, puis, le visage défait, releva la tête vers Werner.

– Mais… il n'y a rien.

– Sûrement pas.

– Si ! Les pages sont blanches.

– Ah, tu admets qu'il y a quelque chose.

– Je ne comprends pas.

Werner s'approcha d'elle, s'inclina aussi bas que le lui permettait la roideur de sa nuque, s'agenouilla malgré les douleurs qui mordaient ses articulations et lui caressa la main.

– Souviens-toi, Daphné. Je t'ai raconté qu'Antoine de Saint Exupéry était mort à quarante-quatre ans, peu de temps après avoir écrit *Le Petit Prince*, car son avion était tombé au fond de la mer. Quarante-quatre ans, la fleur de l'âge ! Il aurait composé de nombreux chefs-d'œuvre. Eh bien, dans ce livre, tu liras les histoires que Saint-Exupéry aurait pu rédiger s'il avait vécu. On les a toutes réunies là. Certaines t'enchanteront.

L'iris de Daphné s'éclaira. Elle avait saisi la proposition de Werner et, revenant à son volume, se mit, méthodique, à tourner les pages vierges en leur prêtant attention et déférence. On avait l'impression qu'elle y déchiffrait quelque chose.

– Bien, non ? demanda Werner.

– Bien.

Elle considéra Werner avec solennité.

– Tu crois qu'un jour, je les verrai… vraiment ?

– Avec ton imagination, sans aucun doute. Et de l'imagination, tu en possèdes à foison. Rappelle-toi : « L'essentiel est invisible pour les yeux. On ne voit bien qu'avec le cœur. »

Elle acquiesça, candide. Puis elle le scruta, suivit ses traits creusés, ses cernes, sa lippe inférieure secouée de tics.

– Tu as l'air un peu bizarre…

– En ce moment, je ne m'aime pas beaucoup.

– Si tu ne t'aimes pas, moi je t'aimerai pour deux.

Daphné avait proféré cela d'un élan, avec force et sincérité. Werner s'extasia devant la fillette, ses lèvres nacrées, le plumage mousseux de ses cheveux platine.

– Daphné !

Une voix de femme retentissait derrière le mur :

– Daphné !

– Faut que je rentre, chuchota Daphné comme si elle avait été prise en faute. Maman m'attend.

– Vas-y !

Werner l'embrassa et pivota. Il marcha jusqu'à sa terrasse aussi rapidement que ses hanches le lui autorisaient, sans se retourner afin qu'elle n'aperçût pas ses larmes. Daphné devait ignorer qu'elle ne lui parlerait plus jamais.

*

Le monde avait, ce matin-là, la limpidité d'une aquarelle. Une lumière éblouissante baignait la mer, la terre, le firmament, estompant toute délimitation. Plus de traits, plus de frontières, rien que des gradations infimes. Les horizons flous se multipliaient, et, depuis son cockpit, Werner von Breslau voguait dans le vaporeux.

Comme au temps de sa jeunesse, le Focke-Wulf Fw 190 fendait les airs avec prestesse, agilité. Mieux, l'engin piaffait, fougueux, euphorique de reconquérir les pistes célestes, les pâturages nuageux, le regard du pâle soleil. Werner riait, réjoui par les contraintes que lui imposait l'avion, enchanté de retrouver ses tâches qui lui avaient manqué, excité de vibrer à l'unisson de la carlingue. Quoique harnaché, vêtu de cuir raide, il se sentait libre pour la première fois. Ce jour-là, il avait décidé de s'envoler, défini son trajet, quitté le sol à l'heure souhaitée, sans l'aide ni l'avis de quiconque ; du reste, il avait tout exécuté en contrebande : crocheter la porte du hangar la nuit, subtiliser du carburant, amener l'avion sur la piste, attendre l'aube, décoller en ne prévenant aucune tour de contrôle.

Werner von Breslau, l'homme du devoir, n'obéissait plus qu'à lui-même. Il avait déterminé seul sa mission. Quand le gardien découvrirait qu'il avait fracturé le portail et barboté l'avion, il serait trop tard pour le stopper. Et qui l'employé alerterait-il ? Ses patrons, des nazis illégaux… Ni la police du sol ni la police de l'air. Werner bénéficiait donc d'une bonne heure devant lui.

Il survola les sombres forêts de conifères, drues, denses, compactes, puis les champs qui, en raison des sillons tracés par les tracteurs, offraient une toile tramée. En suivant le fleuve dolent, il ne se tromperait pas : il lui suffisait de compter les villes pour se repérer.

Il claquait des dents. Malgré les multiples couches de vêtements dont il s'était couvert, il pâtissait davantage du froid que lors de sa jeunesse ; en revanche, il notait une amélioration : son casque lui écrasait moins les tempes en altitude – peut-être sa boîte crânienne s'était-elle amenuisée avec l'âge ?

Il fonçait à cinq cents kilomètres-heure vers son but.

Les deux jours précédents n'avaient ressemblé à aucun épisode de sa vie. Le samedi matin, il avait rejoint à Wims le petit-fils de Martin Müller, Heinrich Müller, qui dirigeait désormais le groupe néonazi. L'homme, boucher de son état, l'avait conduit à l'Arsenal, leur fierté, l'œuvre de plusieurs décennies. Au fin fond d'un domaine boisé, à côté d'une scierie, prolongeant les entrepôts, partiellement voilé par des chênes colossaux, un bâtiment recelait des trésors.

Portes blindées, serrures électroniques, alarmes multiples avaient été installées pour dissuader les intrus.

Martin Müller avait expliqué à Werner, interloqué par tant de précautions :

– Après-guerre, on devait se cacher des autorités

pour conserver la mémoire du IIIe Reich. À présent, il faut se protéger des voleurs. Le marché se structure. Des collectionneurs commanditent des casses. Un uniforme complet de soldat SS se revend 10 000 euros, alors que le fantassin britannique ne frise même pas les 1 000 euros. Le temps rétablit les valeurs authentiques. Les souvenirs des vainqueurs se dévaluent, comme leurs idées… Tenez, par exemple, une toile peinte par Hitler coûte cent fois plus cher qu'une de Churchill ! Il y a une justice, en fin de compte…

Après avoir débloqué les systèmes de sécurité, Martin emmena Werner dans l'Arsenal, lequel constituait un vaste et impressionnant musée du IIIe Reich où reliques et vestiges traçaient des allées, alignant des pièces de monnaie, des insignes, des drapeaux, des uniformes, des jerricans en acier – invention allemande de l'époque –, des motos, des side-cars, des automobiles Volkswagen, des chars d'assaut. Ici, des relais pour la flamme olympique datant de 1936. Là, un ordinateur Zuse 4, aussi imposant qu'un orgue. Quelques vitrines contenaient la vaisselle de Hitler, les couverts en argent de Himmler, les gobelets de Goebbels.

Werner von Breslau avait désigné du doigt une porte bardée d'acier sur le côté droit.

– Et ici ?

– Des objets venus de camps de concentration. Le commerce en est interdit. Avec le temps, c'est ce qui prendra le plus de valeur. Voulez-vous…

– Non merci. Et là ?

Il avait pointé une autre issue.

– La merveille des merveilles. Laissez-moi vous montrer.

Ils franchirent un sas et accédèrent à une gigantesque pièce souterraine. Werner n'en croyait pas ses yeux : un missile longue portée, le fameux V2 qui avait persuadé les Américains que les nazis détenaient la bombe nucléaire, y reposait. Autour, dans les coins, entassées, des caisses de grenades, d'armes, de munitions.

– L'endroit est dangereux, avait grommelé Werner.

– La vie est dangereuse, avait conclu Heinrich Müller.

Ils étaient repartis ensemble, Werner von Breslau méditatif, Heinrich Müller volubile. Il se plaignait que l'intérêt pour les trésors de l'Arsenal se déplaçât. De sentimental et politique, il était devenu financier. Ces pièces valaient des fortunes. Certains se jetaient dessus de façon strictement vénale, sans les convictions nécessaires.

– Aux enchères, j'ai vu des fils de résistants français acheter des objets qui nous intéressaient. Même un juif, une fois. Répugnant ! Ça devrait être interdit. Il faudrait un certificat de national-socialisme pour acquérir les trophées nazis. Sinon, tout va se diluer, tout se perdra. Quelle époque de merde !

Werner avait approuvé, sans développer davantage.

Le dimanche matin, le secrétaire du parti néonazi,

Gunter Schneck, avait emmené Werner en voiture deux cents kilomètres plus loin, dans le hangar où son avion était entreposé. Le bâtiment appartenait à un aérodrome amateur, lequel ne servait plus, sauf pour un festival annuel de planeurs, et dont les pistes laissaient maintenant pointer des bottes d'herbe.

Avec émotion, Werner avait retrouvé, à côté de deux Messerschmitt historiques, son Focke-Wulf Fw 190 intact, brillant, net comme jamais, jalousement entretenu par un mécanicien passionné qui, depuis sa retraite, s'était dévoué aux pièces de collection.

– Il paraît qu'ils volent, ajouta Gunter Schneck. Le mécano les a vérifiés en douce, avec un ancien de la Wehrmacht, il y a deux ans.

Werner était ravi que le destin lui procurât autant d'aide : il pourrait concrétiser son projet.

Ce matin-là, il pilotait donc son bolide dont le bruit intense, intenable et adoré, lui donnait une sensation de sécurité précaire, le goût de sang qu'exsude le danger.

Il volait…

Soudain, il aperçut le repère qu'il guettait : deux rivières rejoignaient le fleuve et le cours d'eau traversait la forêt. Au quatrième coude, juste avant le tumulus, il atteindrait la scierie et…

– Le voilà !

Sous les ramures des chênes, fragmentairement visible, l'Arsenal secret offrait son toit de métal laminé.

Werner le dépassa, y revint, le contourna et se décida

pour un trajet raisonnable. Il jubilait. Par cet angle, il assurait son coup.

Il enclencha le processus. Cible visée, commandes bloquées, l'avion ne dévierait plus, il allait s'écraser sur l'Arsenal. Même si un malaise frappait Werner, l'Arsenal serait éventré, s'enflammerait, exploserait.

Apaisé, raffermi, Werner se détendit et sourit au zénith. Quoiqu'il gardât des doutes sur la pertinence de sa vie, il savait que sa mort serait utile.

Quatre cents mètres à pic…

Trois cents mètres…

Deux cents…

Cent…

En frôlant la tôle cendrée, il aperçut furtivement, à l'orée du bois, un étang émeraude bordé de fleurs lilas et il eut le temps de penser « J'étais fait pour être jardinier » avant le choc final.

Table

DU MÊME AUTEUR

Aux Éditions Albin Michel

Romans

LA SECTE DES ÉGOÏSTES, 1994.
L'ÉVANGILE SELON PILATE, 2000, 2005.
LA PART DE L'AUTRE, 2001.
LORSQUE J'ÉTAIS UNE ŒUVRE D'ART, 2002.
ULYSSE FROM BAGDAD, 2008.
LA FEMME AU MIROIR, 2011.
LES PERROQUETS DE LA PLACE D'AREZZO, 2013.
LA NUIT DE FEU, 2015.
L'HOMME QUI VOYAIT À TRAVERS LES VISAGES, 2016.

Nouvelles

ODETTE TOULEMONDE ET AUTRES HISTOIRES, 2006.
LA RÊVEUSE D'OSTENDE, 2007.
CONCERTO À LA MÉMOIRE D'UN ANGE, Goncourt de la nouvelle, 2010.
LES DEUX MESSIEURS DE BRUXELLES, 2012.
L'ÉLIXIR D'AMOUR, 2014.
LE POISON D'AMOUR, 2014.

Le Cycle de l'invisible

MILAREPA, 1997.

MONSIEUR IBRAHIM ET LES FLEURS DU CORAN, 2001.
OSCAR ET LA DAME ROSE, 2002.
L'ENFANT DE NOÉ, 2004.
LE SUMO QUI NE POUVAIT PAS GROSSIR, 2009.
LES DIX ENFANTS QUE MADAME MING N'A JAMAIS EUS, 2012.

Essais

DIDEROT, OU LA PHILOSOPHIE DE LA SÉDUCTION, 1997.
MA VIE AVEC MOZART, 2005.
QUAND JE PENSE QUE BEETHOVEN EST MORT ALORS QUE TANT DE CRÉTINS VIVENT, 2010.
PLUS TARD, JE SERAI UN ENFANT (entretiens avec Catherine Lalanne), éditions Bayard, 2017.

Beau livre

LE CARNAVAL DES ANIMAUX, musique de Camille Saint-Saëns, illustrations de Pascale Bordet, 2014.

Théâtre

Le Grand Prix du Théâtre de l'Académie française
a été décerné à Éric-Emmanuel Schmitt
pour l'ensemble de son œuvre

LA NUIT DE VALOGNES, 1991.
LE VISITEUR (Molière du meilleur auteur), 1993.
GOLDEN JOE, 1995.
VARIATIONS ÉNIGMATIQUES, 1996.

LE LIBERTIN, 1997.
FRÉDÉRICK, OU LE BOULEVARD DU CRIME, 1998.
HÔTEL DES DEUX MONDES, 1999.
PETITS CRIMES CONJUGAUX, 2003.
MES ÉVANGILES (*La Nuit des Oliviers, L'Évangile selon Pilate*), 2004.
LA TECTONIQUE DES SENTIMENTS, 2008.
UN HOMME TROP FACILE, 2013.
THE GUITRYS, 2013.
LA TRAHISON D'EINSTEIN, 2014.
GEORGES ET GEORGES, Livre de Poche, 2014.
SI ON RECOMMENÇAIT, Livre de Poche, 2014.

Site Internet : eric-emmanuel-schmitt.com